Developing Chinese

第二版
2nd Edition

Intermediate Listening Course

中级听力

（I）

Scripts and Answers
文本与答案

傅由　编著

北京语言大学出版社
BEIJING LANGUAGE AND CULTURE UNIVERSITY PRESS

目 录 Contents

1 画家和他的孙女

畅所欲言

1. 除了“画家”，你还知道什么“家”？

2. 下面提到的这些人都是什么“家”？请连线。

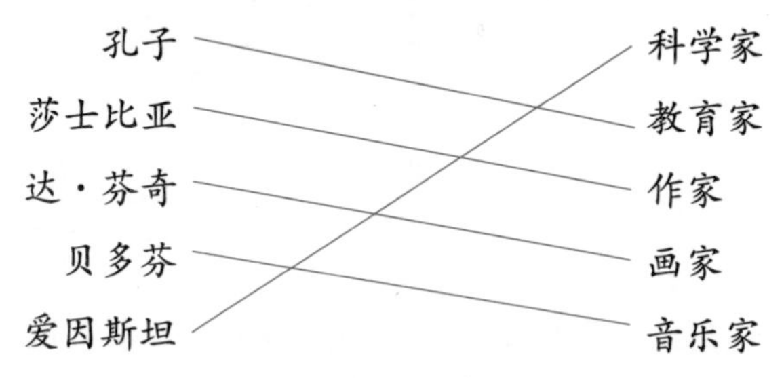

3. 你将听到画家和他喜欢画儿童画儿的孙女的一段谈话，请你猜猜孙女大概几岁。

课　文

画家和他的孙女

（旁白）画家有一个六岁的孙女，六岁的孙女也喜欢画画儿。她画了一棵树。

爷爷：孙女，你画的树不对。

孙女：怎么不对呢？

爷爷：树枝不对。

孙女：树枝怎么不对呢？

爷爷：树枝怎么能比树干粗呢？

孙女：树枝怎么不能比树干粗呢？

爷爷：那就不是树了。

孙女：不是树，您怎么说是树呢？

（旁白）爷爷没话说了。孙女画了一只小兔子。

爷爷：孙女，你画的小兔子不对。

孙女：怎么不对呢？

爷爷：兔子有红色的吗？

孙女：兔子怎么没有红色的呢？

爷爷：你见过红色的兔子吗？

孙女：没见过的就没有吗？

爷爷：红色的就不是兔子了。

孙女：不是兔子，您怎么说是兔子呢？

（旁白）爷爷又没话说了。孙女画了一匹马。

爷爷：孙女，你画的马不对。

孙女：怎么不对呢？

爷爷：马有翅膀吗？

孙女：马没有翅膀。

爷爷：那你为什么给马画了翅膀呢？

孙女：我想让马长出翅膀来。

爷爷：那就不是马了。

孙女：不是马，您怎么说是马呢？

（旁白）爷爷又没话说了。孙女还画了一只母鸡，母鸡下了一个蛋，鸡蛋比母鸡还大。孙女拿着这张画儿去参加一个儿童画儿比赛，结果得了一等奖。

（选自威廉·贝纳德同名文章）

练　习

1-2 一、请仔细听录音，找出每组句子有什么共同的地方

第一组：① 这么重要的事，你怎么不告诉我？

② 你怎么知道这是真的？我可不信！

③ 你怎么现在才来？

（课文例句：怎么不对呢？）

第二组：① 这只猫长着两只颜色不一样的眼睛。

② 兔子长着长耳朵和红眼睛。

③ 他长得像他爸爸。

（课文例句：我想让马长出翅膀来。）

第三组：① 周末不上班，可是比上班还累。

② 他觉得唱卡拉 OK 比学外语还难。

③ 弟弟很聪明，哥哥比弟弟还聪明。

（课文例句：母鸡下了一个蛋，鸡蛋比母鸡还大。）

第四组：① 你参加工作几年了？

② 他参加了足球比赛。

③ 明天有一个新年晚会，我们一起参加吧。

（课文例句：孙女拿着这张画儿去参加一个儿童画儿比赛，结果得了一等奖。）

第五组：① 他参加了 HSK 考试，结果考过了六级。

② 我买了一张中国歌的 CD，结果听不懂。

③ 我七点半才起床，结果迟到了。

（课文例句：孙女拿着这张画儿去参加一个儿童画儿比赛，结果得了一等奖。）

1-3 三、边听课文录音边画 √

孙女画了哪些东西？

树	√
花	
水果	
兔子	√
人	
马	√
母鸡和鸡蛋	√
小鸡	

1-3 四、听课文录音，按顺序写出孙女画的东西

树—（兔子）—（马）—（母鸡和鸡蛋）

1-3 五、根据课文内容填空

画家说孙女画的不对，怎么不对呢？

树：（树枝）比（树干）粗。

兔子：（红）色的。

马：（长）翅膀。

母鸡和鸡蛋：（鸡蛋）比（母鸡）大。

1-3 1-4 六、根据课文内容，选择正确答案

1. 爷爷认为孙女的画儿怎么样？（ A ）

A. 不对　　B. 不像　　C. 不漂亮

2. 孙女认为自己的画儿怎么样？（ A ）

A. 都对　　B. 一般　　C. 很漂亮

3. 下面哪个不是孙女的画儿？（ B ）

A. 长翅膀的马　　B. 能飞的兔子　　C. 红色的兔子

4. 孙女的什么画儿得了大奖？（ D ）

A. 大树　　B. 兔子　　C. 马　　D. 母鸡

七、说说写写

1. 请看下表，左边的句子和右边的句子语气不同，请按照例子把合适的句子填在空白处。

A. 我怎么能不去呢？
B. 怎么能有红色的兔子呢？
C. 你怎么能迟到呢？
D. 我怎么会不帮你呢？

E. 我不知道。
F. 这不可能。
G. 我吃不了这么多。

I	II
例：树枝不能比树干粗。	树枝怎么能比树干粗呢？
你不应该迟到。	C
E	我怎么知道呢？
我不会不帮你。	D
F	这怎么可能？
我一定会去的。	A
G	我怎么吃得了这么多？
没有红色的兔子。	B

1-5 八、听录音，选择正确的回答

“怎么”除了课文中的意思外，在句子里还有别的意思。请你根据录音中的提问，选择正确的回答。然后跟同伴讨论：这是什么情况下说的？是谁对谁说的？

1. 你怎么来了？（ B ）

A. 我是坐车来的。　　B. 我来看你呀。

2. 你怎么来的？（ A ）

A. 我走路来的。　　B. 我来买东西。

3. 你怎么还不回家呀？（ A ）

A. 我还有点儿事。　　B. 我开车回家。

4. 我怎么不知道这件事？（ B ）

A. 你知道这件事吗？ B. 我也是刚听说的。

1-6 九、选词填空

怎么	长	比……还……	参加	结果

1. 他（参加）了几次留学生的活动，觉得很有意思。
2. 小女孩（长）得很漂亮。
3. 他找到了工作，家人（比）他自己（还）高兴。
4. 他每天工作到夜里，一直没有好好休息，（结果）累病了。
5. 他有困难，我们（怎么）能不帮他？
6. 我打算（参加）今年的 HSK 考试。
7. 这个商店的东西（比）那一家（还）贵。
8. 她（长）得特别高。

要求

① 请先独立填写答案
② 填好后同学之间可以讨论
③ 最后听录音

2 最好的年龄

畅所欲言

1. 跟你的同伴讨论以下问题，你们的看法一样吗？

   ① 你觉得多大是最好的年龄？

   ② 你希望自己现在多少岁？为什么？

2. 怎么问别人的年龄？在年龄和问题之间连线。

十岁以下	多大岁数？
十五六岁	几岁了？
三四十岁	多大了？
七八十岁	多大年纪了？

课　文

最好的年龄

多大是生命中最好的年龄呢？

电视台采访了很多人。一个小男孩说："两个月，因为你会被抱着走，你会得到很多的爱和照顾。"

另一个小孩回答："3 岁，因为不用去上学。你可以做所有想做的事，也可以不停地玩儿。"

一个少年说："18 岁，因为你高中毕业了，你可以开车去任何想去的地方。"

一个男人回答说："25 岁，因为你的身体最好。"这个男人 43 岁。他说自己现在走路越来越没劲儿了。他 25 岁的时候，常常到夜里 12 点才上床睡觉，但现在晚上 9 点就困得睁不开眼睛了。

一个 5 岁的小女孩说，生命中最好的年龄是 29 岁。因为你可以待在屋子里的任何地方，想干什么就干什么。有人问她："你妈妈多大？"她回答说："29 岁。"

一个女士回答说："55 岁，因为你退休了，不用工作了。而且孩子都长大了，你不用为他们操心了，可以过自己想过的生活了。"

最后接受访问的是一位老太太，她说："每个年龄都是最好的。享受你现在的年龄吧。"

（选自麦达德·赖茨同名文章）

练　习

2-2 一、请仔细听录音，找出每组句子有什么共同的地方

第一组：① 经过半年的学习，我的汉语越来越好。
② 冬天到了，天气越来越冷。
③ 我越来越喜欢这个工作。
（课文例句：他说自己现在走路越来越没劲儿了。）

第二组：① 几天没睡觉，他困得睁不开眼睛。
② 在火车上站了一夜，我累得走不了路。
③ 听说母亲生病，他急得说不出话来。
（课文例句：晚上 9 点就困得睁不开眼睛了。）

第三组：① 有任何问题都可以问我。
② 你放心吧，我不会告诉任何人。
③ 任何人都应该排队上车。
（课文例句：你可以待在屋子里的任何地方。）

第四组：① 放假了，我想干什么就干什么。
② 厨房里的东西都可以用，你想吃什么就做什么。
③ 周末，我想看书就看书，想上网就上网，太自由了。
（课文例句：你可以待在屋子里的任何地方，想干什么就干什么。）

第五组：① 父母什么时候都为孩子操心。
② 当领导也不容易，操心的事太多。
③ 我一定能找到工作，您别操心了。
（课文例句：孩子都长大了，你不用为他们操心了。）

2-3 二、听全文，在括号中正确的选项后画 √

1. 每个人对最好的年龄的看法（一样　　不一样 √）。
2. 大部分被采访的人认为（自己的　　别人的 √）年龄好。
3. 实际上，每个年龄都是（最好 √　　不好　）的。

2-3 三、听课文录音，在年龄和他们能做的事之间连线

两个月 —— 被抱着走
3岁 —— 不用上学
55岁 —— 退休
18岁 —— 高中毕业
25岁 —— 身体最好

2-3 四、根据课文内容填表（在括号里填上年龄，在空白处填上理由）

理由：

A. 身体最好。

B. 被抱着走，被爱，被照顾。

C. 待在屋子里的任何地方，想干什么就干什么。

D. 不用上学，想干什么就干什么，不停地玩儿。

E. 退休了，不用工作了。不用为别人操心，可以过自己想过的生活了。

F. 高中毕业了，可以开车去想去的地方。

G. 每个年龄都是最好的，享受你现在的年龄吧。

被采访人	被采访人的年龄	认为什么年龄最好	理　由
一个小男孩	——	两个月	B
另一个小孩	——	（3）岁	D
一个少年	——	18岁	F
一个男人	（43）岁	25岁	A
一个小女孩	5岁	（29）岁	C
一个女士	——	55岁	E
一个老太太	——	——	G

2-4 五、听录音，回答问题

把答案简单地写在横线上，然后跟你的同伴讨论一下，你们的看法一样吗？

1. 一个小男孩说两个月是最好的年龄，因为会被抱着走。

   问：你认为说话的小男孩可能多大？

2. 一个小孩说，3岁是最好的年龄，因为可以不上学。

   问：你认为这个小孩多大？

3. 一个43岁的人说，25岁是最好的年龄。

   问：那时的他跟现在什么方面不一样？

4. 一个5岁的小女孩说，29岁最好。

问：29岁可以做什么？

5. 一个女士说，55岁最好。

问：原因可能是什么？

六、在合适的搭配之间连线，然后填空

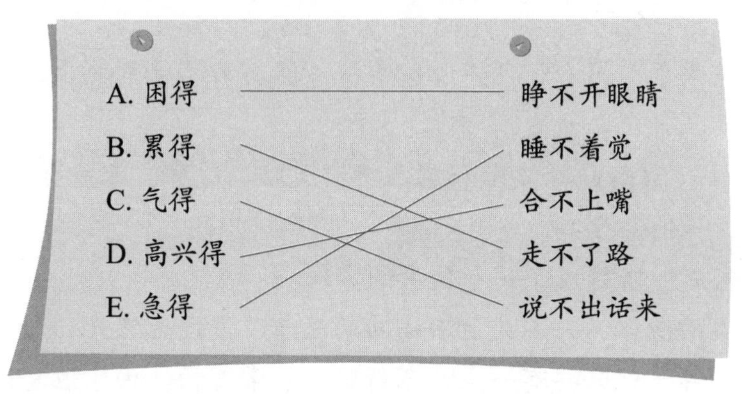

1. 他把钱包丢了，（ E ）。
2. 我见到了20年没见的老朋友，（ D ）。
3. 我夜里三点才睡觉，现在（ A ）。
4. 他今天爬长城、去故宫，玩儿了一整天，现在（ B ）。
5. 售货员态度不好，还跟顾客吵架，顾客（ C ）。

2-5 七、选词填空

任何	想A就A	越来越	操心	没劲儿

1. 他没有（任何）坏习惯。
2. 车（越来越）多，路（越来越）堵。
3. 这件事没有（任何）意义，你别做了。
4. 这些地方都挺好玩儿的，你（想）去哪儿（就）去哪儿。
5. 大夫，我头疼、发烧，全身（没劲儿）。
6. 天气（越来越）冷，我得买一件毛衣。
7. 我们现在身体还可以，不要为我们（操心）。
8. 年纪大了，走一会儿路就（没劲儿）了。
9. 抽烟对身体不好，（想）抽（就）抽可不行。

要求

① 请先独立填写答案
② 填好后同学之间可以讨论
③ 最后听录音

交换人生

课　文

交换人生

一个身体很差的富翁，一个身体健康的穷人，两人互相羡慕。富翁为了得到健康，愿意放弃他的财富；穷人为了富有，愿意随时放弃健康。

一个医生发现了交换大脑的方法，富翁赶紧提出和穷人交换大脑。这样，富翁会变穷，但能得到健康的身体；穷人会富有，但他会生病。

手术成功了。穷人成为有钱的富翁，富翁成了一个健康的穷人。

变成了穷人的富翁由于有了健康的身体，又因为他有成功的思想，慢慢地又开始变得有钱了。可同时，他总是担心着自己的身体，只要有一点儿不舒服就非常害怕。由于他总是什么都担心，什么都害怕，时间长了，好身体又渐渐变坏了。

变成了富翁的穷人虽然有钱了，可思想还是穷人的，他不愿意动脑子，不断把钱花在不该花的地方，时间不长，就花光了所有的钱，又变成了穷人。同时，虽然开始他的身体很差，但由于他无忧无虑，病不知不觉地好了，他又像以前一样有了健康的身体。

现在，两人都回到了原来的样子。

（选自网络同名文章）

练　习

3-2 一、请仔细听录音，找出每组句子有什么共同的地方

第一组：① 他刚毕业就找到了工作，大家都很羡慕他。

② 医生是让人羡慕的职业吗？

③ 我最羡慕的是无忧无虑的孩子。

（课文例句：一个身体很差的富翁，一个身体健康的穷人，两人互相羡慕。）

第二组：① 他放弃了出国留学的机会。

② 我没有放弃他，因为我爱他。

③ 他放弃了在那家公司工作，自己开了一家饭馆。

（课文例句：富翁为了得到健康，愿意放弃他的财富；穷人为了富有，愿意随时放弃健康。）

第三组：① 只要有一点儿不舒服，他就去医院。

② 只要你愿意，下个星期就可以来公司上班了。

③ 每个周日，只要有时间，我就去看爷爷。

（课文例句：他总是担心着自己的身体，只要有一点儿不舒服就非常害怕。）

第四组：① 他刚来一个月，就把钱都花光了。

② 她把钱都花在买衣服上了。

③ 为了买房子，他花光了所有的钱。

（课文例句：他不愿意动脑子，不断把钱花在不该花的地方。）

第五组：① 十几年没见面了，他还像以前一样。

② 他的汉语真不错，跟中国人一样。

③ 他也和我一样，为找工作的事发愁。

（课文例句：由于他无忧无虑，病不知不觉地好了，他又像以前一样有了健康的身体。）

3-3 三、根据课文内容填表

以下哪些项分别是富翁和穷人的特点？

A. 身体差　　B. 身体好　　C. 富有　　D. 穷　　E. 总担心身体

F. 无忧无虑　　G. 随便花钱　　H. 不动脑子　　I. 有成功的思想

	交换人生以前	交换人生以后	最后
富翁	A C	B D E I	A C
穷人	B D	A C F G H	B D

3-3 3-4 五、根据课文内容，选择正确答案

1. 富翁愿意放弃什么？（ A ）

A. 财富　　B. 健康　　C. 大脑

2. 穷人希望得到什么？（ A ）

A. 财富　　B. 健康　　C. 成功的思想

3. 交换人生以后，富翁什么地方没有变？（ C ）

A. 身体　　B. 财富　　C. 思想

4. 变成穷人的富翁为什么又失去了健康？（ B ）

A. 不锻炼身体　　B. 总是担心身体　　C. 不动脑子

5. 变成富翁的穷人后来为什么又变穷了？（ B ）

A. 钱还不够多　　B. 随便花钱　　C. 总生病

3-3 六、根据课文内容，给下面的句子排序

4 A 富翁很担心自己的身体，穷人花光了所有的钱。

5 B 他们回到了原来的样子。

1 C 富翁希望变得健康，穷人希望变得富有。

3 D 穷人得到了财富，富翁得到了健康。

2 E 他们交换了大脑。

3-5 七、边听录音边填空

1. 富翁和穷人互相（羡慕）。
2. 富翁为了健康，愿意（放弃）财富。
3. 穷人为了（富有），愿意放弃健康。
4. 变成富翁的穷人很（担心）自己的身体。
5. 变成穷人的富翁不愿意（动脑子），很快花光了所有的钱。

3-6 九、选词填空

羡慕	放弃	只要……就	花	像……一样	不知不觉	无忧无虑

1. 别老（羡慕）别人，每个人都有自己的烦恼。
2. 他也（像）你（一样），只想当画家。
3.（只要）努力，（就）可能成功。
4. 这次旅行，（花）了三千块钱。
5. 这么好的工作，你怎么（放弃）了？
6. 谁说小孩子（无忧无虑）？他们的压力也很大。
7.（只要）你能在这里待下去，（就）会有机会。
8. 电视节目没意思，他（不知不觉）睡着了。
9. 我（花）了三天时间完成了这个任务。

要求

① 请先独立填写答案
② 填好后同学之间可以讨论
③ 最后听录音

为什么烦恼

课　文

为什么烦恼

星期六，我和妻子去公园玩儿。天气预报说有雨，我们带了伞。那天果然下起了大雨。游客很多，有不少人没带伞，雨下得很大，他们立刻就被淋成了落汤鸡。我和妻子衣服干干的，只是鞋子湿了一点儿。

那天妻子很快乐。

第二天，我们去另一个地方玩儿。天气预报还是说有雨，我们仍然带了伞。可是那天却没有下雨，于是雨伞成了我们手中的累赘。看看别的游客没有带伞、两手空空、十分轻松的样子，妻子就开始后悔：不该带伞。

这一天妻子不快乐。

妻子说："昨天大雨把别人淋成落汤鸡，而没把我淋着，所以我快乐。今天别人手里没有累赘，我有累赘，所以我不快乐。"

于是我明白了：原来快乐与不快乐并不在于自己是不是过得好，而在于跟别人比较自己是不是过得好。

于是我又明白了：为什么昨天我们会为有了一辆自行车而快乐得睡不着觉，今天有了汽车却心烦得吃不下饭？不是因为开车比骑车走得慢，而是因为过去你骑车比别人走得快，今天你的"捷达"却比不上别人的"奔驰"。

我明白了很多，但有一条不明白：干吗老是跟别人比？自己觉得快乐，这还不够吗？为什么要让自己的快乐在跟别人的比较中变成不快乐呢？

（选自廖钧文章）

练　习

4-2 一、请仔细听录音，找出每组句子有什么共同的地方

第一组：① 别老是羡慕别人，每个人都有自己的烦恼。

② 有了烦恼，你会跟谁说？

③ 他为下星期的考试而烦恼。

（课文例句：为什么烦恼）

第二组：① 做事以前要好好想想，做了就不要后悔。

② 他很后悔年轻时没有努力学习。

③ 我真后悔没听你的话！

（课文例句：看看别的游客没有带伞、两手空空、十分轻松的样子，妻子就开始后悔：不该带伞。）

第三组：① 不是不想去，而是根本没时间。

② 这个菜不是难吃，而是你还不习惯。

③ 不是我不告诉你，而是我真的不知道。

（课文例句：不是因为开车比骑车走得慢，而是因为过去你骑车比别人走得快，今天你的"捷达"却比不上别人的"奔驰"。）

第四组：① 在中国，元旦比不上春节重要。

② 他现在的工资比不上以前。

③ 农村的教育比不上城市。

（课文例句：今天你的"捷达"却比不上别人的"奔驰"。）

第五组：① 你怎么老迟到啊？一个星期迟到了五次！

② 我不想老待在家里，得出去找工作了。

③ 孩子老问："爸爸什么时候回来呀？"

（课文例句：干吗老是跟别人比？）

4-3 二、听全文，选择课文的主要内容是什么，在括号里画 √（可以多选）

1. 旅游该不该带伞？（ ）
2. 天气预报也会错。（ ）
3. 别老跟别人比较。（ √ ）
4. 跟别人比较以后，快乐也可能会变成烦恼。（ √ ）

4-3 4-4 三、根据课文内容，选择正确答案

1. 第一天妻子为什么快乐？（ C ）

A. 公园很漂亮　　B. 天气非常好

C. 别人淋湿了而自己没有　　D. 这一天玩儿得十分轻松

2. 第二天妻子为什么不快乐？（ D ）

A. 又下雨了　　B. 天气不好

C. 他们被淋成了落汤鸡　　D. 别人轻松，自己不轻松

3. 作者认为人们快乐的原因是什么？（ B ）

A. 自己过得好　　B. 自己比别人过得好

C. 别人过得好　　D. 别人过得不好

4. 下面哪一项是作者的观点？（ A ）

A. 不要老跟别人比较　　B. 有比较才能有快乐

C. 自己快乐不是真的快乐　　D. 自行车有时比汽车还好

5. 以前有一辆自行车为什么那么快乐？（ C ）

A. 自行车质量好　　B. 骑着特别舒服

C. 别人都没有自行车　　D. 自行车比汽车还快

6. 为什么有人有了汽车却心烦？（ C ）

A. 汽车开不快　　B. 担心车会坏

C. 自己的车不如别人的车好　　D. 自己的车比别人的车贵

4-3 四、根据课文内容，在事情、心情和原因之间连线

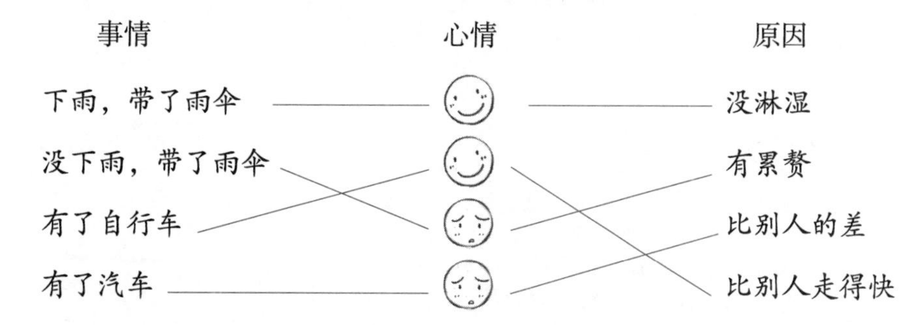

六、在词语和它们的意思之间连线，然后用这些词语填空

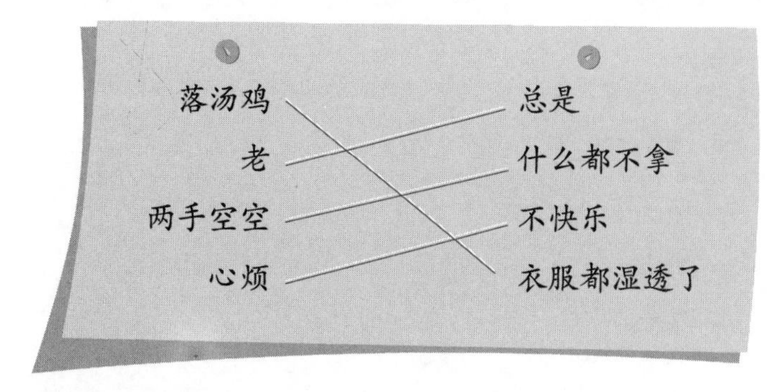

1. 作业写不完，真让人（心烦）。

2. 你别（老）批评他了，他已经后悔了。

3. 下大雨了，又没带伞，结果成了（落汤鸡）。

4. 别人都拿了不少东西，只有我（两手空空），真轻松啊！

5. 不要（老）跟别人比，你一点儿也不差。

4-5 七、选词填空（有一个词是多余的）

烦恼　后悔　比较　比不上　轻松　累赘　两手空空　骑车　汽车　老

要求
① 请先独立填写答案
② 填好后同学之间可以讨论
③ 最后听录音

1. 我们学习汉语的时间一样长，可是我的汉语（比不上）他。
2. 通过（比较），我发现这个食堂的饭菜更好吃。
3. 旅行时，我带的东西很少，这样可以（轻松）地玩儿。
4. 小孩也有自己的（烦恼），大人不一定明白。
5. 过去的事就过去了，（后悔）没有用。
6. 去别人家做客，最好带点儿东西，不要（两手空空）地去。
7. 我们那儿常常堵车，我（骑车）上班，比开（汽车）还快呢。
8. 爬山的时候带什么书啊？那不是（累赘）嘛？
9. 四十多岁的人，身体一般（比不上）年轻人。

乞丐的故事

畅所欲言

1. 你见到过乞丐吗？你给他钱吗？
2. 你认为乞丐最想得到什么？
3. 一个人丢了手机，这是他写的找手机的启事，请填空。

课　文

乞丐的故事

一个乞丐每天都在想，我要是有两万块钱就好了。一天，这个乞丐无意中发现了一只跑丢了的小狗，这只小狗很可爱。乞丐看看旁边没人，就把狗抱回了他住的地方，拴了起来。

这只狗的主人是一位有名的大富翁，狗丢了，这位富翁十分着急。于是，就写了一个找狗的启事：如有人捡到狗，请马上还给我，付酬金两万元。

第二天，乞丐看见了这个启事，就赶紧回家，抱起小狗准备去领取两万元酬金。他抱着狗路过贴启事的地方，发现启事上的酬金已经从两万元变成了三万元。原来，大富翁找不着狗，又把酬金提高了一万元。

乞丐几乎不相信自己的眼睛，突然停下了脚步，想了想又把狗抱了回去，重新拴了起来。第三天，酬金果然又涨了，第四天又涨了，直到第七天，酬金涨到了让所有人都感到吃惊时，乞丐这才跑回去抱狗。没想到的是，那只可爱的小狗已经被饿死了，乞丐还是乞丐。

（选自郭震海文章）

练　习

5-2 一、请仔细听录音，找出每组句子有什么共同的地方

第一组：① 我要是能听懂汉语广播就好了。
② 我们的晚会特别有意思，要是你能参加就好了。
③ 要是咱们能一起去旅行就好了。
（课文例句：一个乞丐每天都在想，我要是有两万块钱就好了。）

第二组：① 他在路上看到一个手机，就把它捡了起来。
② 谁捡到我的书包了？
③ 你捡到东西交给谁？
（课文例句：如有人捡到狗，请马上还给我。）

第三组：① 他自己付学费。
② 男女朋友一起吃饭，谁付钱？
③ 丢东西的人愿意付酬金。
（课文例句：如有人捡到狗，请马上还给我，付酬金两万元。）

第四组：① 一到冬天，蔬菜就会涨价。
② 他的工资又涨了。
③ 希望学费别再涨了。
（课文例句：第三天，酬金果然又涨了。）

第五组：① 直到他告诉我，我才知道他的烦恼。
② 学了两年汉语，直到现在还有很多词不知道。
③ 直到他来北京，才吃到了地道的烤鸭。
（课文例句：第四天又涨了，直到第七天，酬金涨到了让所有人都感到吃惊时，乞丐这才跑回去抱狗。）

5-3 三、根据课文内容，判断正误

1. 这个乞丐无意中捡到两万元钱。 （ × ）
2. 这个乞丐偷了大富翁的一只狗。 （ × ）
3. 狗的主人非常有钱。 （ √ ）
4. 狗的主人愿意花两万元钱再买一只狗。 （ × ）
5. 乞丐捡到狗以后，就不继续做乞丐了。 （ × ）
6. 乞丐捡到狗以后，领取了两万元酬金。 （ × ）
7. 第二天，酬金提高了三万元。 （ × ）

8. 乞丐认为三万元太少，他等待着酬金继续提高。 （ × ）

9. 乞丐的眼睛有问题。 （ × ）

10. 大富翁相信，只有提高酬金，捡到狗的人才可能把狗还给他。 （ √ ）

5-3 5-4 四、根据课文内容，选择正确答案

1. 乞丐捡到狗以前的愿望是什么？（ B ）

A. 捡到一只狗　　B. 有两万块钱

C. 有一万元钱　　D. 买一只狗

2. 大富翁为什么提高酬金？（ A ）

A. 他希望捡到狗的人能把狗还给他　　B. 他想让大家都感到吃惊

C. 他希望能买一只一样的狗　　D. 他想让人知道那只狗非常贵

3. 乞丐在第二天准备还狗的时候，为什么又改变了主意？（ B ）

A. 他对三万元的酬金感到吃惊　　B. 他希望酬金继续涨

C. 他不相信大富翁会付给他酬金　　D. 他越来越喜欢那只小狗

4. 第七天，大富翁的酬金为什么让大家感到吃惊？（ D ）

A. 大家都相信狗已经死了　　B. 大家为自己没捡到狗而不高兴

C. 大家觉得大富翁在骗人　　D. 大家没想到酬金会涨到这么高

5. 乞丐为什么没有得到酬金？（ A ）

A. 因为狗饿死了　　B. 因为酬金太低了

C. 因为他自己留下了那只狗　　D. 因为狗跑了

6. 这个故事告诉我们什么道理？（ B ）

A. 捡了东西要马上还　　B. 期望得到的东西不要太多

C. 应该对狗好一点儿　　D. 别随便捡东西

5-3 六、根据课文内容，给下面的句子排序

2	A	富翁愿意给捡到小狗的人两万元酬金。
6	B	小狗饿死了。
1	C	乞丐捡到一只小狗。
4	D	酬金不停地涨。
3	E	乞丐想去领取酬金，可是发现酬金涨了，又改了主意。
5	F	乞丐决定把狗还给富翁。

5-5 七、选词填空（有一个词是多余的）

丢　失　捡　付　涨　直到　相信　要是……就好了

1. 我不小心（丢）了手机，幸亏有人（捡）到还给我了。
2. 这个东西原来 1000 块，现在（涨）到 1500 了。
3.（直到）他上大学，才第一次离开家。
4. 请（相信）我，我说的都是真的。
5. 他（付）了学费以后，就没有多少钱了。
6. 你（要是）早五分钟来（就好了），汽车已经开走了。
7. 我希望房子不再（涨）价，而工资再（涨）一点儿。
8. 你能借我点儿钱吗？我刚（丢）了钱包。

要求

① 请先独立填写答案
② 填好后同学之间可以讨论
③ 最后听录音

6 20美元

课 文

20美元

爸爸下班到家已经很晚了，他很累而且有点儿烦，发现五岁的儿子还在等他。“爸，我可以问您一个问题吗？”

“什么问题？”

“爸，您一个小时赚多少钱？”

“这跟你没有关系，你为什么问这个问题？”父亲生气地问。

“我只是想知道，您告诉我吧，您一小时赚多少钱？”

“假如你一定要知道的话，我一小时赚20美元。”

“哦……”小孩低下了头，接着又说，“爸，可以借我10美元吗？”

父亲非常生气：“如果你只是借钱去买毫无意义的玩具的话，最好回到你的房间去，好好想想你为什么这么自私。我一天到晚辛辛苦苦地工作，你就知道玩儿。”

小孩安静地回到自己的房间。

父亲坐下来还在生气。后来，他平静下来，开始想他可能对孩子太凶了——也许孩子真的很想买什么东西，再说他平时很少向自己要过钱。

父亲走进儿子的房间：“你睡了吗，孩子？”

“爸，我还没睡。”小孩回答。

“我刚才可能对你太凶了，”父亲说，“这是你要的10美元。”

“爸，谢谢你。”小孩高兴地叫着，然后从枕头下拿出一些皱巴巴的钞票，慢慢地数着。

“你已经有钱了，为什么还要？”父亲生气地问。

“因为不够，可是现在够了。”小孩回答，“爸，我现在有20美元了，我可以向您买一个小时的时间吗？明天您早点儿回家——我想和您一起吃晚饭。”

（选自《深圳青年》）

练　　习

6-2 一、请仔细听录音，找出每组句子有什么共同的地方

第一组：① 什么工作赚钱最多？
② 他打算赚了钱就去旅行。
③ 他卖土豆赚了 100 块。
（课文例句：爸，您一个小时赚多少钱？）

第二组：① 他喜欢画画儿，跟他父亲有关系。
② 这件事跟你没关系，你别问了。
③ 快乐跟别人没关系，只跟自己有关系。
（课文例句：这跟你没有关系，你为什么问这个问题？）

第三组：① 这件事我得好好想想。
② 好好学习，天天向上。
③ 周末到了，我要好好休息一下。
（课文例句：好好想想你为什么这么自私。）

第四组：① 他一天到晚地工作，没时间和孩子玩儿。
② 考试前，学生们一天到晚都在学习。
③ 别一天到晚地只想赚钱，健康才是最重要的。
（课文例句：我一天到晚辛辛苦苦地工作，你就知道玩儿。）

第五组：① 火车票难买，再说我刚来半年，所以今年寒假不回家了。
② 住在宿舍很方便，再说也便宜，所以大部分人都住宿舍。
③ 我最近太忙了，再说这个电影我也不喜欢，你一个人去看吧。
（课文例句：也许孩子真的很想买什么东西，再说他平时很少向自己要过钱。）

6-3 三、根据课文内容，判断正误

1. 父亲一回家儿子就向他要钱。（ × ）
2. 父亲对儿子的问题感到生气。（ √ ）
3. 儿子向父亲要钱不是为了买玩具。（ √ ）
4. 儿子向父亲要 20 美元。（ × ）
5. 父亲一开始并没有给孩子钱。（ √ ）
6. 儿子经常向父亲要钱。（ × ）
7. 父亲最后给了儿子 10 美元。（ √ ）

8. 儿子想用 20 美元给父亲买一件礼物。 (×)
9. 儿子想用 20 美元请父亲吃饭。 (×)
10. 父亲不常跟儿子一起吃晚饭。 (√)

6-3 6-4 四、根据课文内容，选择正确答案

1. 父亲回家后，儿子问他的第一个问题是什么？（ C ）
   A. 每天工资是多少　　B. 能一起吃晚饭吗
   C. 一小时收入多少　　D. 能不能借钱给他

2. 儿子向父亲要 10 美元，父亲有什么反应？（ A ）
   A. 很生气　　B. 很安静
   C. 觉得没有意义　　D. 很高兴

3. 儿子回自己的房间以后，父亲为什么又不生气了？（ C ）
   A. 因为 10 美元并不多　　B. 因为儿子没有坚持向他要钱
   C. 因为儿子可能真的想买什么东西　　D. 因为儿子非常难过

4. 儿子想用 20 美元做什么？（ A ）
   A. 向父亲买一个小时的时间　　B. 请父亲吃一顿饭
   C. 给自己买一些玩具　　D. 给父亲买一件礼物

5. 关于这个故事，下面哪句话是对的？（ A ）
   A. 我们应该花一点儿时间陪家里的人　　B. 我们不应该辛苦地工作
   C. 我们不应该对孩子太凶　　D. 我们应该多给孩子一些钱

6-5 六、听录音中的问题，然后用所给的词语回答

1. 就要放假了，你打算干什么？（好好）
2. 你怎么不坐车来？骑车多累呀。（再说）
3. 我打算在北京待三天，应该去哪儿玩儿呢？（最好）
4. 好久不见，你忙什么呢？（一天到晚）
5. 刚买的手机就坏了，怎么回事？（跟……有关系）

6-6 七、选词填空

跟……有关系　赚　借　一天到晚　好好　再说　最好　烦　够

1. 她过生日，我们应该（好好）庆祝一下。
2.（一天到晚）都干一样的事，肯定会（烦）。
3. 这个地方我没听说过，（再说），现在也没时间去呀。
4. 这本书不是我的，是跟朋友（借）的。
5. 好的工作不仅要能（赚）钱，而且还要有意义。
6. 你的建议我们会（好好）考虑的。
7. 有的孩子不愿意上学，这（跟）学校和家长都（有关系）。
8. 在这件事上，你（最好）别花太多时间。
9. 500 块钱（够）买一个手机吗？

要求

① 请先独立填写答案
② 填好后同学之间可以讨论
③ 最后听录音

7 别活得太累

课　文

别活得太累

有一天，我觉得自己好像生病了，就去图书馆借了一本医学书。当我读完介绍肺病的内容时，才明白我得肺病已经好几个月了，我被吓坏了。后来，我很想知道自己还有什么病，就读完了整本医学书，结果发现，除了没有妇科病以外，我全身什么病都有！

我想弄清楚我到底还能活多久，就自己给自己作了一次诊断：先找脉搏，开始连脉搏都没有了，后来才发现一分钟 140 次！接着，我又去找自己的心脏，但无论如何也找不到，我害怕极了！

我往图书馆走的时候，觉得自己是个幸福的人，可当我走出图书馆，却成了一个浑身都是病的老头儿。

我决定去找我的朋友，一位医生。医生给我作了诊断，我拿起药方，顾不上看就立刻去了药店，匆匆把药方给了店员，他看了一眼就还给我，说："这是药店，不是食品店，也不是饭店。"我奇怪地看了他一眼，拿回药方一看，上面写的是：牛肉一份，啤酒一瓶，6 小时一次。2 公里路，每天早上一次。不懂的事就别去想。

我这样做了，一直健康地活到今天。

（选自网络文章）

练　习

7-2 一、请仔细听录音，找出每组句子有什么共同的地方

第一组：① 听到这个消息，他急坏了。

② 发现自己得了重病，他吓坏了。

③ 三天没好好休息，我累坏了。

（课文例句：当我读完介绍肺病的内容时，才明白我得肺病已经好几个月了，我被吓坏了。）

第二组：① 除了北京以外，我还去过上海和西安。
② 除了足球以外，他没有别的爱好。
③ 在这个商店，除了买东西以外，还可以吃饭、看电影。
（课文例句：除了没有妇科病以外，我全身什么病都有！）

第三组：① 逛了半天商店，什么都没买，两手空空地回来了。
② 你说的这些地方，我哪儿都没去过，哪儿都想去。
③ 这件事谁都不知道。
（课文例句：我全身什么病都有！）

第四组：① 我问了他好几遍，他无论如何也不告诉我。
② 春节快到了，我无论如何也要回家过年。
③ 我无论如何想不到事情会这样。
（课文例句：我又去找自己的心脏，但无论如何也找不到。）

第五组：① 有时候他忙得顾不上吃饭。
② 下了飞机，他顾不上回家就直接去了公司。
③ 他顾不上跟大家告别就走了。
（课文例句：我拿起药方，顾不上看就立刻去了药店。）

7-3 三、根据课文内容，判断正误

1. “我”得肺病几个月了，自己却不知道。 （ × ）
2. “我”有心脏病。 （ × ）
3. “我”找不到自己的心脏，感到很害怕。 （ √ ）
4. 脉搏每分钟 140 次不正常。 （ √ ）
5. 看完病以后，“我”就去了饭店。 （ × ）
6. 药店店员不认识医生开的药方。 （ × ）
7. 药店没有“我”需要的东西。 （ √ ）
8. 医生认为“我”需要多运动。 （ √ ）
9. 吃了医生开的药，“我”的病就好了。 （ × ）
10. 实际上，“我”什么病也没有。 （ √ ）

7-3 7-4 四、根据课文内容，选择正确答案

1. “我”为什么要看医学书？（ B ）

A. 对医学感兴趣　　B. 想知道自己有什么病

C. 想增加自己的知识　　D. 想知道自己的病怎么治

2. 通过读医学书，“我”知道自己没有下面的什么病？（ C ）

A. 肺病　　B. 心脏病　　C. 妇科病

3. “我”为什么去找医生？（ C ）

A. “我”有点儿不舒服　　B. 想让医生读一读医学书

C. “我”很担心自己的身体　　D. 想请他去饭店

4. 读完医学书以后，“我”有什么变化？（ A ）

A. 以为自己得了很多病　　B. 原来的病更厉害了

C. 觉得自己是个幸福的人　　D. 决定当医生

5. “我”为什么没看处方就直接去了药店？（ A ）

A. 想快点儿拿到药　　B. 相信医生开的药

C. 药店要下班了　　D. 想早一点儿回家

6. 下面哪句话是错的？（ C ）

A. 看完医生以后，“我”坚持锻炼身体　　B. 看完医生以后，“我”不再胡思乱想

C. 看完医生以后，“我”每天都去饭店　　D. 看完医生以后，“我”一直非常健康

7. 这个故事告诉我们什么？（ B ）

A. 医学书不一定对　　B. 不懂的事就别去想

C. 应该锻炼身体　　D. 总是担心会让人生病

7-5 五、边听录音边填空，然后回答问题

1. （除了）没有妇科病（以外），我（全身）什么病都有！

问：“我”有什么病？“我”为什么没有妇科病？

2. （先）找脉搏，（开始）连脉搏都没有了，（后来）才发现一分钟 140 次！（接着），我又去找自己的心脏，但无论如何也找不到，我害怕极了！

问：“我”的脉搏有什么问题？正常的脉搏是一分钟多少次？“我”的心脏有什么问题？“我”为什么害怕？

3. 我拿起药方，（顾不上）看就立刻去了药店，匆匆把药方给了店员。

问：这个句子里的“顾不上”、“立刻”和“匆匆”表示了“我”的什么心情？

4. 牛肉（一份），啤酒（一瓶），6 小时（一次）。2（公里）路，每天早上一次。

问：按照这个药方，“我”每天应该做什么？

7-6 六、选词填空

除了……以外　坏了　谁/什么都　无论如何　顾不上

要求
① 请先独立填写答案
② 填好后同学之间可以讨论
③ 最后听录音

1. 刚来的时候，他（谁都）不认识，现在交了不少朋友。
2. 他常常忙得（顾不上）回家看父母。
3. 那个商店（什么都）有，而且价格便宜。
4.（除了）汉语（以外），你还会说什么语言？
5. 你（无论如何）不要相信他的话。
6. 他找到了工作，高兴（坏了）。
7. 工作太忙了，他（顾不上）做饭，只能吃方便面。
8. 我的朋友结婚，我（无论如何）也要去参加婚礼。
9.（除了）上海（以外），我还去过西安和重庆。
10. 最近的温度都在 38 度以上，把大家都热（坏了）。

年龄并不重要

课　文

年龄并不重要

有一位80岁的老人，很喜欢下棋，每天都到俱乐部和朋友下几个小时，然后再慢慢散步回家，日子过得很舒服。

有一次，他的朋友病了，没法和他下棋。管理员为他安排了另外一个人跟他下棋，他觉得不适应，失望地准备回家。管理员说："如果您不想下棋，还可以换一种方法，比如画画儿。"在管理员的建议下，他来到了俱乐部的画画儿教室。那里的管理员说："先生，您可以在这里试着画画儿。"老人听了哈哈大笑："说什么？让我画画儿，我可从来没有摸过画笔。""那有什么关系，您可以试着画一幅，说不定您会觉得这十分有意思。"管理员鼓励他说。于是，老人第一次拿起了画笔。他在那里待了一下午，觉得真的很有意思。

从此老人决定开始学画画儿。81岁的时候，他到学校去上画画儿课。他把自己的时间全部用在画画儿上，这位老人就是哈里•莱伯曼。

20年后，一家很有名的艺术馆为他举办了画展，名字叫"哈里•莱伯曼101岁"。哈里•莱伯曼的画儿充满了活力和想象力，他的画儿被许多人收藏。哈里•莱伯曼创造了世界奇迹：那么大的岁数开始学画画儿，而且画得很成功。在他101岁的时候，还有那么多人看他的画儿。

一个人只要专心做一件事，年龄对他来说，往往是不重要的。

（选自流沙文章）

练　习

8-2 一、请仔细听录音，找出每组句子有什么共同的地方

第一组：① 刚来不久，我就适应了这儿的生活。

② 他的适应能力特别强，在哪儿都能愉快地生活。

③ 吃的东西我很喜欢，但还不太适应那里的天气。

（课文例句：管理员为他安排了另外一个人跟他下棋，他觉得不适应，失望地准备回家。）

第二组：① 对听力课，你有什么建议？
② 我建议周末大家一起去长城。
③ 这个建议是谁提出来的？
（课文例句：在管理员的建议下，他来到了俱乐部的画画儿教室。）

第三组：① 她们俩长得真像，说不定是姐妹呢。
② 你试试看这本书吧，说不定能看懂。
③ 起风了，说不定过一会儿会下雨。
（课文例句：您可以试着画一幅，说不定您会觉得这十分有意思。）

第四组：① 他在北京待了半年，汉语水平提高了不少。
② 退休以后，他就待在家里，哪儿也不去。
③ 他在艺术馆待了一下午。
（课文例句：他在那里待了一下午，觉得真的很有意思。）

第五组：① 他把时间都用在工作上了。
② 我不想把钱都花在买衣服上。
③ 他们俩把时间和钱都花在孩子身上了。
（课文例句：他把自己的时间全部用在画画儿上。）

8-3 二、根据课文内容，判断正误

1. 这位老人每天都到朋友家下棋。 （ × ）
2. 他的朋友病了，老人跟另外一个人下棋也很高兴。 （ × ）
3. 管理员建议老人去画画儿。 （ √ ）
4. 管理员相信老人一定能成为画家。 （ × ）
5. 老人以前从来没画过画儿。 （ √ ）
6. 老人觉得画画儿没有意思。 （ × ）
7. 老人在 101 岁的时候参加了画画儿比赛。 （ × ）
8. 老人的作品被许多人收藏。 （ √ ）

8-3 三、根据课文内容，给下面的句子排序

5	A	老人到学校学习画画儿。
2	B	老人的朋友病了。
1	C	老人每天到俱乐部和朋友下棋。
6	D	艺术馆为老人举办了画展。
4	E	老人在管理员的建议下开始画画儿。
3	F	老人不愿意和其他人下棋。

8-4 五、选词填空

适应　建议　说不定　待　把时间/钱……用/花在……

1. 天这么阴,（说不定）要下雨了。
2. 我什么都习惯了，就是还不太（适应）那里的天气。
3. 他在上海（待）了三年，听得懂上海话。
4. 他（把时间）都（用在）工作上了。
5. 我应该去哪儿工作？你有什么（建议）？
6. 我好几天没见到他,（说不定）他已经回国了。
7. 毕业了，不能老（待）在家里呀。
8. 公司压力太大，我很不（适应）。
9. 朋友（建议）我住在学校宿舍，这样上课就方便了。
10. 他（把钱）都（花在）不该花的地方，很快就变穷了。

要求
① 请先独立填写答案
② 填好后同学之间可以讨论
③ 最后听录音

猜猜他是谁

课　文

猜猜他是谁

①老　师：刚才你们在口语课上都做了自我介绍，不过，可能彼此还不太熟悉。现在，我们来做一个练习，我发给每个人一个表，请大家填写。

先写上你的性别，男的还是女的。然后再用几个词描写你的外貌，比如你穿什么衣服啊，头发是什么颜色啊，你长得高不高啊什么的。要让别人一看你写的内容，就能猜出来是你。

学生1：老师，不写名字吗？

老　师：对，不要写名字。下面要写的是你的性格，咱们先一起说说，哪些词是描写性格的？

学生1：开朗、活泼、乐观。

学生2：害羞，不爱说话。

老　师：对，说得不错。接下来请你写出你最喜欢做的事，和最不喜欢做的事。写完以后把表交给我，我再分给大家，然后你们猜一猜，你拿到的那个表是谁写的，你可以问一些问题，但不能问“这是你吗？”

……

②老　师：好，开始猜吧。

学生1：老师，我猜出来了，这个是他。

老　师：你是怎么猜出来的？

学生1：他说他穿白色T恤，我们班只有他穿白色T恤。

老　师：嗯，你猜得很快。

学生2：我也猜出来了，他说他是班里最帅的人。这个一定是大山。

老　师：你觉得他是最帅的吗？

学生2：那倒不是，是大山自己觉得自己最帅！

大　山：哈哈，你猜对了，我就是最帅的！

学生3：我也猜出来了，这个人一定是丹尼。因为他说他最喜欢的是他英国的自行车，我们班有两个英国人，只有他是男的。

老　师：不错。还有谁猜出来了？

学生4：我猜这是小林。她说她最喜欢的事是买东西。

老　师：喜欢买东西的人又不止她一个，你怎么知道是小林呢？

学生 4：我问了我们班每一个女生，只有她最喜欢买东西。

……

老 师：好了，这个练习就做到这儿。现在请你把手里的表还给填表的同学，每个同学在表上写上自己的名字、手机号码和电子邮箱，然后交给我。我回去做一个通讯录，下星期发给大家。

练　习

9-2 一、请仔细听录音，找出每组句子有什么共同的地方

第一组：① 请写上手机号码、电子邮箱什么的。

② 那个商店的裤子、T 恤什么的都很便宜。

③ 旅行的时候，钱和护照什么的都得带着。

（课文例句：用几个词描写你的外貌，比如你穿什么衣服啊，头发是什么颜色啊，你长得高不高啊什么的。）

第二组：① 他一到中国就买了手机。

② 我打算一放假就回国。

③ 春天一到，去旅行的人就多了。

（课文例句：要让别人一看你写的内容，就能猜出来是你。）

第三组：① 你猜得出来他的年龄吗？

② 你猜，我刚才看见谁了？

③ 我猜这张画儿是他画的。

（课文例句：老师，我猜出来了，这个是他。）

第四组：① 打车肯定不止 20 块，还是坐公共汽车吧。

② 突然下雨了，没带雨伞的不止我一个。

③ HSK 考到六级的不止 10 个人。

（课文例句：喜欢买东西的人又不止她一个，你怎么知道是小林呢？）

第五组：① 请把作业交给老师。

② 他上星期就把钱还给我了。

③ 把作业发给同学。

（课文例句：我回去做一个通讯录，下星期发给大家。）

9-3-1 9-4 二、根据课文第一段内容，选择正确答案

1. 老师要求学生做什么？（ C ）

A. 自我介绍　　B. 互相介绍
C. 填表　　D. 互相问问题

2. 什么内容不用填？（ A ）

A. 姓名　　B. 性别
C. 性格　　D. 外貌

3. 下面哪一项不是"外貌"？（ D ）

A. 穿什么衣服　　B. 头发的颜色
C. 高矮胖瘦　　D. 活泼开朗

4. 填完表以后做什么？（ A ）

A. 把表交给老师　　B. 把表交给同学
C. 写自己的名字　　D. 把表带回家

9-3-1 三、根据课文第一段内容，判断正误

1. 这个班的同学谁都不认识谁。（ × ）
2. 学生要根据别人填写的内容猜猜是谁写的。（ √ ）
3. 学生要告诉别人哪个是自己的表。（ × ）
4. 猜的时候，不能问"这是你吗？"（ √ ）

9-5 四、边听录音边填空

1. 用几个词（描写）你的外貌，（比如）你穿什么衣服啊，头发是什么（颜色）啊，你长得高不高啊（什么的）。要（让）别人一看你写的内容，就能（猜出来）是你。
2. 写完以后把表（交给）我，我再（分给）大家，然后你们（猜一猜），你拿到的那个表是谁写的。

9-6 五、将听到的内容填到表中相应的位置

A. 牛仔裤　B. 戴眼镜　C. 开朗　D. 活泼　E. 不喜欢太早上课　F. 爱做饭
G. 不高不矮　H. 蓝色的眼睛　I. 喜欢打篮球　J. 爱帮助人　K. 女

性别	K
外貌	A B G H
性格	C D
最喜欢的事	F I J
最不喜欢的事	E

9-3-2 六、根据课文第二段内容，完成下面的任务

在录音中，你听到三个人的名字：大山、丹尼和小林，他们是男的还是女的？请在正确答案后画√。他们有什么特点？请根据录音内容连线。

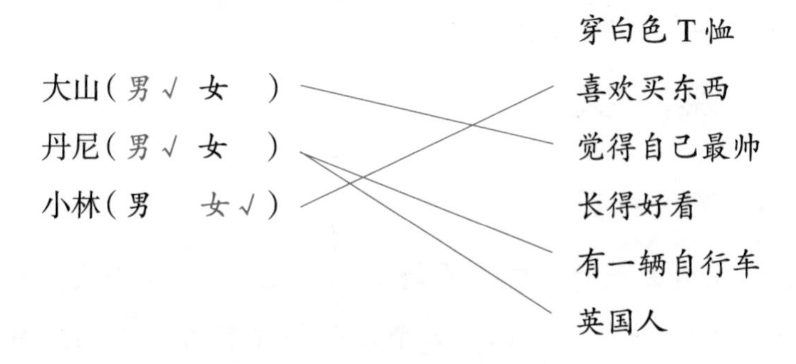

八、用“交给、还给、发给”三个词填空

现在请你把手里的表（还给）填表的同学，每个同学在表上写上自己的名字、手机号码和电子邮箱，然后（交给）我。我回去做一个通讯录，下星期（发给）大家。

9-7 九、选词填空

猜	发/交/还给	一……就……	……什么的	不止

1. 我（一）考试（就）紧张。
2. 我跟你说过（不止）三次了，你怎么还记不住啊。
3. 请把作文（交给）我，下星期我再（发给/还给）大家。
4.（不止）小林，别的女生也喜欢买东西。
5. 听广播、看电视（什么的）都可以帮你学汉语。
6. 有四个答案，不知道哪个正确，只能（猜）。
7. 我（不止）一次去过那里，对那里非常熟悉。
8. 他到底有多大，别人很难（猜）出来。
9. 请帮我把卷子（发给）大家，每人两张。

要求
① 请先独立填写答案
② 填好后同学之间可以讨论
③ 最后听录音

10 该哭就哭

课　文

该哭就哭

①一位朋友告诉我，他每次遇到生活压力太大时，就去看场电影，他说，“我会找一部特别让人伤心的电影，看完以后，一个人大哭一场。”一位有三个儿子的年轻母亲也用同样的方法。每次孩子吵得太厉害或者家里钱实在不够用时，她就把孩子们送到奶奶家去玩儿一个下午，自己听听音乐，哭上一场。她说，“过半个小时，我就又能应付一切麻烦了。”

许多人都认为哭是不坚强的表现，在一些国家，“以男人为中心”的观念使男人想哭也不敢哭。实际上，如果一个人很悲伤，却忍着不哭，不少疾病都会找上门来。有专家指出，长时间压抑自己，该哭的时候不哭，会引起头疼。

②哭虽然是很自然的事，但成年人却不能想哭就哭。男人除了遇到像死了人这样的事以外，一般不哭。女人在这种情况下当然可以哭，遇到婚礼这样的激动场面也可以哭，可如果是自己失恋了，就只能一个人偷偷地哭。小孩子也只有在身体不舒服或者特别害怕的时候哭，他们要是因为得不到想要的东西就哭，那非挨大人的骂不可了。

不少人都哭过，就是不太愿意承认。其实，哭不仅能减轻情绪上的压力，也可以减轻身体上的压力。现代人都生活在压力之下，要跟家人、同事、邻居搞好关系，要做好工作、过好日子，还要在别人面前保持一个好形象。谁没有烦恼和伤心事呢？为了快乐和健康，我们应该学会该哭的时候就哭。

练　习

10-2 一、请仔细听录音，找出每组句子有什么共同的地方

第一组：①运动能减轻压力。

②小学生的压力比大学生还大。

③赚钱多的工作压力都大。

（课文例句：一位朋友告诉我，他每次遇到生活压力太大时，就去看场电影。）

第二组：① 当老板可不容易，要应付各种困难。

② 为了应付考试，他每天花很多时间读书。

③ 怎么才能应付这么多麻烦？

（课文例句：过半个小时，我就又能应付一切麻烦了。）

第三组：① 在他们家，一切以孩子为中心，孩子要什么，父母就给什么。

② 在这个国家，人们都以男人为中心。

③ 他从来都以工作为中心，一天到晚都在工作。

（课文例句："以男人为中心"的观念使男人想哭也不敢哭。）

第四组：① 工作干不好，就要挨批评。

② 他小时候常常挨父母的骂。

③ 落后就要挨打。

（课文例句：他们要是因为得不到想要的东西就哭，那非挨大人的骂不可了。）

第五组：① 我不让他去，可是他非去不可。

② 这个问题非解决不可。

③ 想看电影，非去电影院不可。

（课文例句：他们要是因为得不到想要的东西就哭，那非挨大人的骂不可了。）

第六组：① 该哭就哭，别忍着。

② 该说就说，不用管别人怎么想。

③ 该批评就批评。

（课文例句：为了快乐和健康，我们应该学会该哭的时候就哭。）

10-3 二、听全文，选择课文的主要内容是什么，在括号里画 √

1. 哭能减轻压力。（ √ ）
2. 男人和女人谁更爱哭。（ ）
3. 人们为什么会生病。（ ）
4. 每天哭对健康有好处。（ ）

10-3-1 三、根据课文第一段内容，判断正误

1. 朋友感到压力大时，就去看一个快乐的电影。（ × ）
2. 朋友看完电影哭一场，压力就减轻了。（ √ ）
3. 那位母亲把孩子送到奶奶家，就能减轻压力。（ × ）
4. 如果很悲伤，却忍着不哭，容易生病。（ √ ）

5. 一般认为，哭是不坚强的表现。 （ √ ）

6. 经常哭会引起头疼。 （ × ）

10-4 四、根据课文内容，先自己填空，然后跟同伴讨论，最后听录音

朋友感到压力大时，就去看一个（伤心）的电影，然后一个人（哭）一场。一位有三个儿子的母亲，在孩子（吵）得太厉害，或者家里的钱（不够用）时，就把孩子送到奶奶家，自己听听（音乐），哭上一场。过半小时，就能（应付）一切麻烦了。

10-3-2 五、根据课文第二段内容填表

男人、女人、孩子在什么情况下可以在别人面前哭？根据录音内容在表中相应的位置画√。

	死了人	婚礼	失恋	不舒服	害怕	要东西
男人	√			——		
女人	√	√		——		
孩子	——			√	√	

10-5 七、选词填空

以……为中心　偷偷地　非……不可　压力　应付　该V就V

要求
① 请先独立填写答案
② 填好后同学之间可以讨论
③ 最后听录音

1. 老师（压力）大还是学生（压力）大？
2. 他（偷偷地）告诉我他的秘密。
3. 七点还不起床，（非）迟到（不可）。
4. 以前（以）工作（为中心），退休了，就应该（以）健康（为中心）。
5. 外边很冷，你穿这么少的衣服，（非）感冒（不可）。
6. 他能（应付）各种困难。
7.（该）说什么（就）说什么，不用不好意思。
8. 学生应该（以）学习（为中心），你别去打工了。
9. 他（应付）完了考试，就每天上网玩儿游戏。

11 请把试卷认真读完

课　文

请把试卷认真读完

① 一个公司要招聘一名经理，有几百人应聘，经过认真挑选，50 个人被通知参加笔试。

考试开始，考官把试卷发给大家，试卷上的题目是这样的：

笔试（在 3 分钟以内完成）

1. 请把试卷认真读完；
2. 请在试卷的左上角写下你的名字；
3. 在你的名字下面写上汉语拼音；
4. 请写出五种动物的名字；
5. 请写出五种水果的名字；
6. 请写出五座中国城市的名字；
7. 请写出五座外国城市的名字；
8. 请写出五位中国科学家的名字；
9. 请写出五位外国科学家的名字；
10. 请写出五个成语；

……

② 不少考生匆匆看了看试卷，马上拿起笔就在试卷上写了起来。一分钟……两分钟……三分钟，时间很快就到了，除了有两三个人在三分钟以内交卷外，其他人都忙着在试卷上写答案。考官宣布考试结束，没有写完的试卷全部作废。那些没做完的考生都抱怨起来："时间这么短，题目又那么多，怎么可能按时交卷呢？"

考官笑着说："很抱歉！虽然你们不能参加我们公司的面试了，但大家可以把自己手上的试卷带走，做个纪念。再认真看看，也许对你们今后有帮助。"说完他就走了。

听完考官的话，不少人拿起手中的试卷继续往下看，只见后面的题目是这样的：

19. 请写出五个跟"认真"意思相反的词；
20. 如果你已经看完了题目，请只做第二题。

（选自金名同名文章）

练　习

11-2 一、请仔细听录音，找出每组句子有什么共同的地方

第一组：① 明天有一场大学毕业生招聘会，你参加吗？
② 看了他们的招聘广告，我打算去应聘。
③ 那个公司要招聘一名经理。
（课文例句：一个公司要招聘一名经理，有几百人应聘。）

第二组：① 我们会在一周以内通知您参加面试。
② 请在一个小时以内完成试卷。
③ 天气不好，一百米以内的东西都看不清楚。
（课文例句：笔试（在 3 分钟以内完成））

第三组：① 他不停地抱怨，新买的手机坏了。
② 游客抱怨说，旅馆的卫生条件太差。
③ 没有人喜欢听别人抱怨。
（课文例句：那些没做完的考生都抱怨起来。）

第四组：① 天气这么好，别待在屋子里了，快出去玩儿吧！
② 这么便宜的 T 恤到哪儿找去呀，还不多买几件！
③ 那么多作业，今天肯定做不完。
（课文例句：时间这么短，题目又那么多，怎么可能按时交卷呢？）

第五组：① 我怎么可能不想参加呢？实在是没有时间。
② 已经晚上 11 点了，商店怎么可能还开门？
③ 我怎么可能认识他？我们是第一次见面。
（课文例句：时间这么短，题目又那么多，怎么可能按时交卷呢？）

第六组：① 他每天按时睡觉，按时起床，所以身体才这么好。
② 因为天气的原因，飞机不能按时起飞。
③ 每个队都按时到达了比赛地点。
（课文例句：时间这么短，题目又那么多，怎么可能按时交卷呢？）

11-3-2 三、根据课文第二段内容，判断正误

1. 笔试的题目一共有 20 道。　（ √ ）
2. 考试的题目很难。　（ × ）
3. 考试的时间是 30 分钟。　（ × ）

4. 只有两三个人按时交卷。 (√)
5. 通过笔试的人都可以做经理。 (×)
6. 考生要求把试卷带走做纪念。 (×)
7. 实际上，考生可以只挑两道题做。 (×)
8. 实际上，3 分钟完全可以做完考题。 (√)
9. 大部分考生没有认真把试卷读完。 (√)

11-3 11-4 四、听全文，选择正确答案

1. 有多少人应聘经理的职位？ (B)
   A. 一百人　B. 几百人　C. 五十人　D. 两三个人

2. 考试要求多长时间交卷？ (A)
   A. 3 分钟　B. 30 分钟　C. 一小时　D. 没有规定

3. 正确的答卷应该是什么样的？ (B)
   A. 考生名字下注有拼音　B. 左上角有考生的名字
   C. 做完了试卷全部的题　D. 试卷 1、2、3 题必须做

4. 下面哪一项是没有按时交卷的学生可以做的事？ (D)
   A. 继续把试卷做完　B. 参加下轮考试
   C. 把试卷带回家做　D. 把试卷带走

5. 没做完的考生抱怨什么？ (C)
   A. 试卷太难　B. 招聘的人太少
   C. 题目太多　D. 不许他们带走试卷

11-5 六、选词填空

招聘　应聘　以内　抱怨　按时　怎么可能　面试　这么

要求
① 请先独立填写答案
② 填好后同学之间可以讨论
③ 最后听录音

1. 他每天都（按时）到学校，从来不迟到。
2. 半年（以内）有质量问题可以免费修理。
3. 他顺利通过了笔试，公司通知他明天参加（面试）。
4. 你看到大华公司的（招聘）广告了吗？
5. （这么）大的事，我怎么可能不知道？
6. 这个公司要求（应聘）者必须会两门外语。
7. 不停地（抱怨），只能让烦恼更多。
8. 我（怎么可能）不告诉你？我是真的不知道。
9. 他一会儿（抱怨）空气太脏，一会儿（抱怨）东西太贵，好像没什么是他满意的。

12 说了没用就不如不说

畅所欲言

1. 如果别人去你家做客，你怎么招待客人？请在括号里画√。

沏茶（　　）　倒咖啡（　　）　倒酒（　　）　给水果（　　）

给点心（　　）　什么都不给（　　）

2. 下面哪些句子表示道歉，请在括号里写A，哪些表示没关系，请在括号里写B。

真不好意思。	（ A ）	都怪我！	（ A ）
不要紧。	（ B ）	都是我的错！	（ A ）
这算什么呀。	（ B ）	算了，算了。	（ B ）
十分抱歉。	（ A ）	下次注意就行了。	（ B ）
对不起！	（ A ）	请原谅！	（ A ）
没事儿！	（ B ）		

课　文

说了没用就不如不说

我小的时候，有一回，爸爸带我去他的朋友家里做客。

主人招呼我们坐下，拿来两个玻璃杯，给爸爸和我各沏上一杯茶水，然后就离开客厅。正在这时，我面前的那个玻璃杯突然“啪”地一声裂开了，碎玻璃和茶水洒了一地！主人听到声音走过来，爸爸抱歉地说：“不好意思，我不小心把杯子打碎了。”我奇怪了，杯子明明是自己碎的，怎么爸爸说是他打碎的呢？我就十分认真地告诉主人：“杯子是自己裂的，不是打碎的。”

主人哈哈大笑起来：“不是打碎的，那是怎么回事？杯子好好的怎么会碎呢？一定是你打碎的，对不对？其实不要紧嘛，一个杯子算什么？我不会怪你的。”

事情越闹越糊涂，主人认为是我打碎了杯子！我急了：“不是我打碎的，不信你问爸爸。”爸爸看着我笑：“我说了是我打碎的嘛！”主人也笑了，他不再理我，开始跟爸爸谈生意上的事。

那天回来，我心里很不是滋味。一路上问爸爸，为什么要说杯子是他打碎的。爸爸不回答，看着我摇摇头说：“你还小，不懂，等长大了你就明白了。”现在，我终于明白了，世界上的事情，有时候假的更像是真的，而真的反而像假的，这时候，接受假的会比坚持真的更轻松而且有利。

（选自廖钧文章）

练　习

12-2 一、请仔细听录音，找出每组句子有什么共同的地方

第一组：① 真抱歉，让您久等了。

② 他抱歉地说："都怪我，请您原谅。"

③ 他对自己的不小心感到非常抱歉。

（课文例句：爸爸抱歉地说："不好意思，我不小心把杯子打碎了。"）

第二组：① 这点儿钱对富翁算什么，可是对穷人的帮助就大了。

② 这点儿小事算什么，你就别客气啦！

③ 丢一辆自行车算什么，我都丢过三辆了。

（课文例句：一个杯子算什么？我不会怪你的。）

第三组：① 都怪我不小心，把新买的手机丢了。

② 自己没考好，不能怪考试太难。

③ 我不会为了这点儿小事怪你的。

（课文例句：一个杯子算什么？我不会怪你的。）

第四组：① 他喜欢抱怨，人们都不爱理他。

② 他明明看到我了，却不理我。

③ 别理他，他说的话都不是真的。

（课文例句：主人也笑了，他不再理我，开始跟爸爸谈生意上的事。）

第五组：① 在这儿待了这么多年，真要走了，心里说不清是什么滋味。

② 经过努力，他们终于尝到了成功的滋味。

③ 他失去了工作，心里很不是滋味。

（课文例句：那天回来，我心里很不是滋味。）

12-3 12-4 二、根据课文内容，选择正确答案

1. 那天发生了什么事？（ D ）

   A. 主人沏茶时弄破了杯子　　B.“我”一不小心打碎了杯子

   C. 爸爸不小心打碎了杯子　　D. 没有人碰，杯子自己坏了

2. “我”为什么急了？（ D ）

   A. 因为杯子碎了　　B. 因为爸爸没说真话

   C. 因为主人不理“我”了　　D. 因为主人不相信“我”的话

3. 杯子打碎了，主人是什么态度？（ C ）

   A. 生气　　B. 觉得奇怪

   C. 无所谓　　D. 觉得好笑

4. “我”为什么心里不是滋味？（ A ）

   A. 不明白爸爸为什么不说真话　　B. 为杯子自己破碎而奇怪

   C. 因为主人不理自己　　D. 觉得世界上的事真假难辨

12-3 三、根据课文内容，判断正误

1. 这个故事发生在“我”的朋友家。（ × ）
2. 玻璃杯碎了，主人并没有生气。（ √ ）
3. 主人认为玻璃杯是“我”打碎的。（ √ ）
4. “我”没有说真话。（ × ）
5. 主人并没有看到杯子是怎么碎的。（ √ ）
6. 主人和“我”爸爸是生意上的朋友。（ √ ）
7. “我”长大后才明白假的就是真的，真的就是假的。（ × ）
8. “我”现在才明白说假话比说真话好。（ × ）

12-3 四、根据课文内容，选择这些话是谁说的

A 爸爸　　B 主人　　C “我”

1. 杯子是自己裂的，不是打碎的。	C
2. 不好意思，我不小心把杯子打碎了。	A
3. 一个杯子算什么？我不会怪你的。	B
4. 不是打碎的，那是怎么回事？	B
5. 杯子好好的怎么会碎呢？一定是你打碎的，对不对？	B
6. 我说了是我打碎的嘛！	A
7. 你还小，不懂，等长大了你就明白了。	A

12-5 五、选词填空

抱歉	道歉	不要紧	算什么	怪	理	（不是）滋味	对不起

1. 这都（怪）我，我感到很（抱歉）。
2. 我把他的电子词典弄丢了，觉得很（对不起）他。
3. 他踩了别人的脚，也不（道歉），真没礼貌。
4. 喝三瓶啤酒（算什么）？我一次能喝五瓶呢。
5. 离开父母去留学，他尝到了想家的（滋味）。
6. 他这个人特别爱抱怨，我真不想（理）他。
7. 考得不好（不要紧），只要努力学习就行了。
8. 别人都找到工作了，我却没找到，心里真（不是滋味）。
9. 这件事不是你的错，你不用（道歉）。
10. 我跟他打招呼，可是他没（理）我。

要求
① 请先独立填写答案
② 填好后同学之间可以讨论
③ 最后听录音

13 我想买电子词典

课 文

我想买电子词典

①学生：老师，我想买一个电子词典，您知道多少钱吗？

老师：多少钱的都有。便宜的不到一千块钱，贵的有三四千的。

学生：差这么多钱啊，有什么区别呀，老师？

老师：主要看词汇量的大小，一般来说词汇量越大词典越贵。另外，不同的电子词典收的纸质词典也不一样，比如，有的收了《新英汉词典》，有的收了 Longman 词典，所以还要看你自己喜欢哪种词典。

学生：买电子词典也要看牌子吗？

老师：最好看看牌子，名牌的电子词典可能贵一点儿，不过质量好哇，中国人说“一分钱一分货”就是这个意思。可是我也不清楚什么牌子最好。这样吧，我上网查一下，明天告诉你。

学生：谢谢老师！听说有的电子词典功能很多，是不是功能越多越好？

老师：那倒不一定，功能越多，肯定价格越贵。而且有的功能你也不一定需要，比如有的带 MP3，有的能玩儿游戏，还有的能上网，这些功能你都需要吗？

学生：不需要，MP3 我已经有了，而且我用电脑上网就够了。

②学生：对了，买电子词典也能讨价还价吗？

大山：能，能，我的电子词典要一千二，我还了半天价，结果只花了八百八！

老师：哇，大山真是还价高手！你买电子词典，最好带着大山一起去！

学生：好啊，到时候你得帮我还价啊。我应该去哪儿买，超市还是商店？

老师：最好去电子市场，离咱们学校最近的电子市场骑车十分钟就到了。

学生：唉，我的自行车丢了。

老师：坐汽车也行，你出了学校大门，过马路，坐 5 路公共汽车，两站就到了。电子市场就在马路对面。

学生：我知道了，谢谢老师！

练 习

13-2 一、请仔细听录音，找出每组句子有什么共同的地方

第一组：① A：苹果多少钱一斤？

B：大的五块，小的三块五。

② A：一个大学生一年要花多少钱？

B：少的几千块，多的能花好几万。

③ 这个牌子的手机，便宜的只要三百多，贵的八千多。

（课文例句：便宜的不到一千块钱，贵的有三四千的。）

第二组：① 农村和城市的区别越来越小。

② 这两个牌子的电脑有什么区别？

③ 男人和女人在智力上有区别吗？

（课文例句：差这么多钱啊，有什么区别呀，老师？）

第三组：① 春节回不回家，要看能不能买到火车票。

② 他能不能出国留学，要看他的外语怎么样。

③ 比赛什么时候开始，要看天气情况。

（课文例句：主要看词汇量的大小，一般来说词汇量越大词典越贵。）

第四组：① 你的手机有什么功能？

② 我的电子词典有手写功能。

③ 功能越多，价格越贵。

（课文例句：听说有的电子词典功能很多，是不是功能越多越好？）

第五组：① 父母不希望孩子上网时间太长。

② 请上网查一下，什么牌子的电子词典卖得最好。

③ 上网看新闻、买东西、订机票，真是太方便了。

（课文例句：有的带 MP3，有的能玩儿游戏，还有的能上网。）

第六组：① 在这个市场买东西，一般都可以讨价还价。

② 老板要价很高，可是他很会还价。

③ 这个词典要价 1200，他还到 880，真是还价高手。

（课文例句：买电子词典也能讨价还价吗？）

13-3 二、听全文，关于电子词典，老师和学生讨论了哪些方面？在括号里画√

1. 价格 （ √ ）
2. 词汇量 （ √ ）
3. 功能 （ √ ）
4. 大小 （ ）
5. 重量 （ ）
6. 牌子 （ √ ）
7. 去哪儿买 （ √ ）

13-3-1 三、根据课文第一段内容，判断正误

1. 电子词典便宜的也得一千多块。 （ × ）
2. 词汇量越大，电子词典越贵。 （ √ ）
3.《新英汉词典》比 Longman 词典好。 （ × ）
4. 老师认为，电子词典功能越多越好。 （ × ）
5. 有的电子词典可以当电脑用。 （ × ）
6. 有的电子词典有游戏功能。 （ √ ）
7. 女生希望买一个能放 MP3 的电子词典。 （ × ）

13-3-2 13-4 五、根据课文第二段内容，选择正确答案

1. 买电子词典能不能讨价还价？（ A ）
   A. 能　B. 不能　C. 不清楚

2. 到哪儿去买电子词典最好？（ D ）
   A. 电子超市　B. 百货商店　C. 自由市场　D. 电子市场

3. 女生请男生帮她做什么？（ A ）
   A. 讨价还价　B. 介绍电子词典　C. 带她去市场　D. 借给她电子词典

13-3-2 六、根据课文第二段内容，画出电子市场的位置

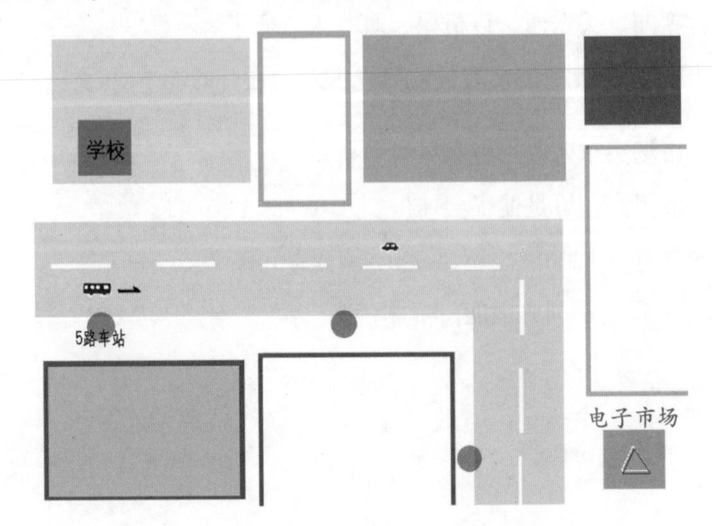

13-5 八、选词填空（有一个词是多余的）

上网	要看	区别	要价	还价/讨价还价	功能	名牌	牌子

1. 电子词典的（牌子）很多，一定要挑（名牌）的。
2. 他一身上下都是（名牌）。
3. 在自由市场买东西你得学会（讨价还价）。
4. 手机的（功能）虽然多，最常用的只有打电话和发短信。
5. 我的手机有（上网）功能，能收电子邮件。
6. 这两种电子词典的（区别）是词汇量不一样大。
7. 我们的商品已经打折了，不能再（还价）了。
8. 去中级班还是高级班（要看）考试的成绩。

要求
① 请先独立填写答案
② 填好后同学之间可以讨论
③ 最后听录音

14 差　别

课　文

差　别

① 小王和小刘在同一家商店工作，他们俩年龄一样大，拿一样的薪水。

一段时间以后，小刘的工资涨了不少，可小王一点儿没变。小王觉得老板不公平，终于有一天他找到老板，老板一边耐心地听他抱怨，一边在心里想着怎么向他解释他和小刘之间的差别。

"小王，"老板说，"你现在到自由市场上去一下，看看今天早晨有什么卖的。"

小王从市场上回来向老板汇报说，今天早晨，市场上只有一个农民拉了一车土豆在卖。

"有多少？"老板问。

小王赶快戴上帽子又跑到市场上，然后回来告诉老板一共40袋土豆。

"价格是多少？"

小王又第三次跑到市场上问来了价格。

② "好吧，"老板对他说，"现在你坐椅子上，一句话也不要说，看看别人怎么说。"

老板找来小刘，对他说，"你到自由市场上去一下，看看今天早晨有什么卖的。"

小刘很快就从市场上回来了，向老板汇报说，到现在为止只有一个农民在卖土豆，一共40袋，价格是12块钱一袋。土豆质量很不错，所以他带回来一个让老板看看。他还说，这个农民一个钟头以后还会弄来几箱西红柿。在小刘看来，价格非常公平，昨天他们店里的西红柿卖得很快，剩下的已经不多了。小刘想，这么便宜的西红柿老板肯定会买一些的，所以他不仅带回了一个西红柿让老板看看，而且把那个农民也带来了，他现在正在外面等着回话呢。

这时，老板转向了小王，说："现在你肯定知道为什么小刘的薪水比你高了吧？"

（选自《故事时代》同名文章）

练　习

14-2 一、请仔细听录音，找出每组句子有什么共同的地方

第一组：① 他是一个非常耐心的老师，学生们都喜欢他。
② 听了他的抱怨，我已经失去耐心了。
③ 请耐心等待，一会儿就该您了。
（课文例句：老板一边耐心地听他抱怨，一边在心里想着怎么向他解释他和小刘之间的差别。）

第二组：① 请你解释一下这个词的意思。
② 他不听我解释，生气地走了。
③ 这件事跟他解释不清楚，还是别说了。
（课文例句：老板一边耐心地听他抱怨，一边在心里想着怎么向他解释他和小刘之间的差别。）

第三组：① 到现在为止，我们学了十课。
② 到上个月为止，他一共买过五个手机。
③ 这是到现在为止我到过的最漂亮的地方。
（课文例句：小刘很快就从市场上回来了，向老板汇报说，到现在为止只有一个农民在卖土豆。）

第四组：① 在他看来，韩亮是个好歌手，放弃唱歌实在是太可惜了。
② 在广州人看来，外地人都是北方人。
③ 在他看来，每个汉字都像画儿一样。
（课文例句：这个农民一个钟头以后还会弄来几箱西红柿，在小刘看来，价格非常公平。）

第五组：① 那个商店价格公平，咱们去那儿买东西吧。
② 别人的工资都涨了，而他没涨，他觉得老板很不公平。
③ 我们希望能公平地参加考试。
（课文例句：这个农民一个钟头以后还会弄来几箱西红柿，在小刘看来，价格非常公平。）

14-3-2 四、根据课文第二段内容，判断正误

1. 小刘买回来一些菜。　（ × ）
2. 他建议老板也去市场看看。　（ × ）
3. 他觉得那个农民卖的菜质量和价格都不错。　（ √ ）
4. 他们商店的西红柿差不多卖光了。　（ √ ）
5. 他建议农民来他们的商店卖菜。　（ × ）

14-3 五、根据课文内容选择

哪些事是小王做的？哪些事是小刘做的？哪些事两人都做了？哪些事两人都没做？

A 小王　B 小刘　C 两人都做了　D 两人都没做

1. 去了一次市场	B	7. 带回来一个土豆	B
2. 去了三次市场	A	8. 知道西红柿的价格	B
3. 知道土豆有多少	C	9. 带回来一个西红柿	B
4. 知道土豆的价格	C	10. 买回来一些西红柿	D
5. 知道土豆的质量	B	11. 带回来一个农民	B
6. 买回来一些土豆	D	12. 带回来别的蔬菜	D

14-4 七、选词填空

耐心　解释　到……为止　在……看来　公平　肯定

1. 世界上没有完全的（公平），你只能去适应社会。
2.（到）去年（为止），他已经开了五家商店。
3. 这件事怎么跟他（解释）呢？
4. 孩子太吵了，妈妈已经没有（耐心）了。
5.（在）他（看来），每天能和家人一起吃晚饭是最幸福的。
6. 老板觉得，很难跟他（解释）为什么他的工资那么低。
7. 他在北京生活了五年，他的汉语（肯定）不错。
8.（在）学生们（看来），最难的不是考试，而是找工作。
9.（到）上个月（为止），我学了三年汉语了。
10. 我们工作的时间一样，可是他的工资比我高得多，真不（公平）。

要求
① 请先独立填写答案
② 填好后同学之间可以讨论
③ 最后听录音

15 因为没有电子邮箱

课　文

因为没有电子邮箱

有一个失业的年轻人，到一家电脑公司去找一份清洁工的工作。在面试以后，公司告诉他，他被录取了。

“请你把电子邮箱告诉我们，这样才方便跟你联系。”年轻人说：“我没有电脑，所以也没有电子邮箱。”公司告诉他：“对我们来说，没有电子邮箱的人等于不存在的人，所以我们不能用你。”

他失望地离开了这家电脑公司。这时他口袋里只有10块钱，他来到市场买了10公斤土豆，挨家挨户地推销。两个钟头后土豆卖光了，他赚了5块钱。

他从来没想过，自己竟然可以这样挣钱。于是，他继续推销土豆，业务不断增加，挣的钱也越来越多。短短五年以后，他成立了一个非常大的“挨家挨户”销售公司，用便宜的价格，把新鲜蔬菜和水果送到客户的家门口。

保险公司找到他，要为他和家人设计一套保险，他同意了。签合同时，保险公司的人向他要电子邮箱。他不得不再次说：“我没有电脑，也没有电子邮箱。”那个人很吃惊：“您有这么大一个公司，却没有电子邮箱。想想看，如果您有电脑和电子邮箱的话，可以多做多少事情啊！”

他轻轻一笑，说：“那样的话，我就会成为电脑公司的清洁工。”

（选自网络文章）

练　习

15-2 一、请仔细听录音，找出每组句子有什么共同的地方

第一组：① 他被国内最好的大学录取了，全家都非常高兴。

② 报名的有一百多人，可是只录取了五个人。

③ 他通过了公司的笔试和面试，终于被录取了。

（课文例句：在面试以后，公司告诉他，他被录取了。）

第二组：① 现在人们都用手机和电子邮件联系，写信的人很少。
② 把你们的联系方式告诉我，我要做一个通讯录。
③ 虽然毕业了，咱们也要经常联系啊！
（课文例句：请你把电子邮箱告诉我们，这样才方便跟你联系。）

第三组：① 谁都知道一加一等于几。
② 他一个月的薪水等于我半年的工资。
③ 说了不做，等于没说。
（课文例句：对我们来说，没有电子邮箱的人等于不存在的人。）

第四组：① 问别人挣多少钱好像不太礼貌。
② 能挣钱，会花钱，才是好的生活。
③ 在你们国家，大学毕业生一个月能挣多少钱？
（课文例句：他从来没想过，自己竟然可以这样挣钱。）

第五组：① 我应该多花一点儿时间陪伴家人。
② 感冒的时候，要多喝水。
③ 他多点了一个菜，准备带回家吃。
（课文例句：如果您有电脑和电子邮箱的话，可以多做多少事情啊！）

第六组：① 你应该早点儿去，那样的话，就不会买不到了。
② 穿这件T恤吧，那样的话，你看上去更帅。
③ 千万别对自己的孩子失望，那样的话，等于放弃了孩子。
（课文例句：那样的话，我就会成为电脑公司的清洁工。）

15-3 15-4 二、根据课文内容，选择正确答案

1. 他去电脑公司干什么？（ A ）
A. 找清洁工的工作　　B. 找推销电脑的工作　　C. 随便找一个工作

2. 电脑公司为什么没有录取他？（ B ）
A. 因为他没有通过面试　　B. 因为他没有电子邮箱
C. 因为他没有电脑　　D. 因为他没有钱

3. 后来他怎么挣到了钱？（ B ）
A. 在市场卖土豆　　B. 送货上门卖土豆
C. 推销保险　　D. 做清洁工

4. 他第一次卖土豆赚了多少钱？（ A ）

A. 5 块钱　　B. 10 块钱　　C. 15 块钱

5. 他成立了一家什么公司？（ D ）

A. 保险公司　　B. 电脑公司
C. 清洁公司　　D. 销售公司

6. 他的公司有什么特别的地方？（ C ）

A. 只卖土豆　　B. 东西新鲜
C. 送货上门　　D. 价格便宜

7. 是什么让保险推销员感到吃惊？（ A ）

A. 他没有电脑和电子邮箱　　B. 他的公司很大
C. 他做过清洁工　　D. 他不愿意增加业务

15-3 四、根据课文内容，给下面的句子排序

3	A	他口袋里只有10块钱。
1	B	他去电脑公司找工作。
4	C	他买了土豆再卖出去，挣了5块钱。
2	D	因为没有电子邮箱，他没得到这份工作。
6	E	他买保险时，还是没有电子邮箱。
5	F	他成立了销售公司，挣了很多钱。

15-5 五、边听录音边填空

1. 短短五年以后，他（成立）了一个非常大的“（挨家挨户）”销售公司，用（便宜）的价格，把（新鲜）蔬菜和水果送到客户的（家门口）。

2. 签（合同）时，保险公司的人向他要电子邮箱。他（不得不）再次说：“我没有电脑，也没有电子邮箱。”那个人很（吃惊）：“您有这么大一个公司，（却）没有电子邮箱。（想想看），如果您有电脑和电子邮箱的话，可以（多）做多少事情啊！”他轻轻一笑，说：“（那样的话），我就会成为电脑公司的清洁工。”

15-6 七、选词填空

联系　等于　挣钱　那样的话　多+V　录取

要求
① 请先独立填写答案
② 填好后同学之间可以讨论
③ 最后听录音

1. 他没有电子邮箱，所以公司没（录取）他。
2. 说没有用的话（等于）没说。
3. 有人认为成功就是（挣钱）多，你同意吗？
4. 我们学校今年（录取）了一千多名学生。
5. 你应该多参加一些公司的面试，（那样的话），机会多一些。
6. 怎么跟您（联系）呢？请把手机号码和电子邮箱写下来。
7. 主人请客，应该让客人（多）吃点儿，（那样的话），才显得热情。
8. 多年没（联系）的同学，今天突然给我打了个电话。
9. 已经等了二十分钟了，再（多）等一会儿有什么关系？
10. 要是生活能重新开始多好啊，（那样的话），就会少犯很多错误。

16 你会怎么选择

课　文

你会怎么选择

① 请你做一道题，看你是不是一个聪明人。

这是一家大公司的总裁在招聘职员时亲自出的一道题目——

你开着一辆豪华汽车，在一个暴风雨的晚上，经过一个车站。有三个人正在焦急地等公共汽车。一个是病得很重的老人；一个是医生，他曾经救过你的命，你做梦都想报答他；还有一个是你一见钟情的异性，如果错过了，你一辈子都会后悔。但你的车只能再坐一个人。你会怎么选择？请解释一下你的理由。

你可以做自己的决定，没有人会责备你。不过，当你做出一个选择后，问一下自己：我这样做是最好的吗？

② 老人快要死了，应该先救他。然而，每个老人最后都只能把死作为人生的终点，每个人都逃不过死亡。先让那个医生上车吧，因为他救过你，这应该是个报答他的好机会。不过也可以在以后再报答他，也许他会有更需要报答的时候。应该先把一见钟情的异性带走，否则会一辈子后悔。到底应该怎么选择呢？

在200个应聘者中，只有一个人的答案符合总裁的要求，他被录取了。

他并没有解释自己的理由，他只是说了下面的话："把车钥匙给医生，让他带着老人去医院，我留下来陪一见钟情的人等公共汽车。"

（选自网络文章）

练　习

16-2 一、请仔细听录音，找出每组句子有什么共同的地方

第一组：① 他收到了老板的亲笔信。

② 这是他亲口告诉我的，肯定是真的。

③ 我很想吃妈妈亲手做的蛋糕。

（课文例句：这是一家大公司的总裁招聘职员时亲自出的一道题目。）

第二组：① 小时候，我做梦都想当一名医生。
② 我做梦都想不到这儿的变化这么大。
③ 这是根本不可能的事，你别做梦了！
（课文例句：他曾经救过你的命，你做梦都想报答他。）

第三组：① 我去晚了，错过了电影的开头。
② 这么好的机会，千万别错过！
③ 他错过了火车，只好坐飞机去了。
（课文例句：还有一个是你一见钟情的异性，如果错过了，你一辈子都会后悔。）

第四组：① 我必须赶快去挣点儿钱了，否则就得饿肚子。
② 现在就得订火车票，否则就订不到了。
③ 考试的时候不能看书，否则得零分。
（课文例句：应该先把一见钟情的异性带走，否则会一辈子后悔。）

第五组：① 考大学是孩子一辈子的大事，能没有压力吗？
② 他们俩一辈子也没吵过一次架。
③ 过去，很多人一辈子只在一个单位工作。现在，换工作已经不是新鲜事了。
（课文例句：应该先把一见钟情的异性带走，否则会一辈子后悔。）

16-3-1 16-4 二、根据课文第一段内容，选择正确答案

1. 这道题中除了“你”以外，还有几个人？（ C ）
A. 一个　B. 两个　C. 三个　D. 四个

2. “你”以外的人在干什么？（ A ）
A. 等公共汽车　B. 打出租车
C. 等医院的车　D. 等你的车

3. “你”的车一共可以坐几个人？（ B ）
A. 一个　B. 两个　C. 三个　D. 四个

16-3-1 三、根据课文第一段内容，把下面的信息补充完整

时间：暴风雨的（晚上）
地点：公共汽车站
人物：病得很重的（老人）
救过你的命的（医生）
一见钟情的（异性）
情况：你开车路过车站

16-3-2 四、根据课文第二段内容填表（有多余的选项）

A. 病得很重　B. 受伤了　C. 每个人都会死　D. 不想错过跟他 / 她在一起的机会
E. 报答他　F. 上班要迟到了　G. 他请你帮助他

	让他 / 她坐你的车的理由	不让他 / 她坐你的车的理由
老人	A	C
医生	E	可以以后再报答他
异性	D	——

16-5 五、最好的答案是什么？请先填空，然后跟同伴讨论一下你填的内容，再听录音

把车（钥匙）给医生，让他（带着）老人去医院，我留下来（陪）一见钟情的人（等）公共汽车。

16-6 七、选词填空

亲自　做梦　错过　机会　符合　一辈子　否则

1. 这是一个学习语言的好（机会），你不要（错过）。
2. 他（做梦）都想得到那份工作。
3. 这次面试的题目是老板（亲自）出的。
4. 他（错过）了晚上的最后一趟车，只好走路回家。
5. 你应该（亲自）去感谢他，而不是只发一个电子邮件。
6. 我（一辈子）也忘不了那件事。
7. 早点儿走吧，（否则）路上堵车，会迟到的。
8. 您的条件（符合）我们的要求，您被录取了。
9. 很多人把结婚看成（一辈子）最重要的事，所以结婚也叫“终身大事”。

要求
① 请先独立填写答案
② 填好后同学之间可以讨论
③ 最后听录音

17 换一种方式生活

课　文

换一种方式生活

我有一位法国朋友，一次聊天儿，谈到消费观念，他说中国人更喜欢把钱花在买东西上，而他们更多的是把钱花在做事情上。

仔细一想，真的是这样，我们有了钱首先想到的是买：买房子、买车、买衣服……我们用钱换来的是静止的东西。而西方人更愿意用钱来做事情：学习课程、陪伴家人、出去旅行……钱没有换来东西，却换来了宝贵的经历和感受。

从那以后，我也开始考虑自己的生活。老公一直希望到世界各地去旅行。可是结婚9年了，我们买了130平方米的大房子，成了房奴，买了高级家具和电器，日子却过得越来越紧张。

跟老公商量了几次以后，我们决定把大房子换成70多平方米的房子。不仅还完了所有贷款，还剩下20多万元钱。房子里没有了昂贵的家具，有的只是简单的家具。

去年，我们的旅行计划正式开始，第一站就是老公最想去的非洲大草原。

这次非洲之行花了差不多两万元。我们回到自己简单干净的家里，看着那些在非洲拍的照片，老公说："我是在做梦吧？这么美的地方，我去过吗？"

儿子说，他在学校里已经成了明星，每天下课都有同学围着他，让他讲大草原上动物的故事，还有非洲的文化、小朋友的友谊。卖掉房子去旅行，这真是一个聪明的决定。现在，我们已经开始计划下一次旅行啦！

（选自聪聪文章）

练　习

17-2 一、请仔细听录音，找出每组句子有什么共同的地方

第一组：① 传统的家庭观念是以男人为中心的。

② 现在人们贷款买房，消费观念跟以前不一样了。

③ 这个观念已经过时了。

（课文例句：谈到消费观念，他说中国人更喜欢把钱花在买东西上。）

第二组：① 年轻时，用健康换金钱；老了以后，用金钱换健康。
② 他用铅笔和同学换了一个本子。
③ 售货员用热情换来了顾客的信任。
（课文例句：我们用钱换来的是静止的东西。）

第三组：①“房奴”指的是这样的人：因为买了房子，要还贷款，影响了正常生活。
②“孩奴”指父母一辈子都为孩子挣钱，自己的生活水平下降。
③ 除了“房奴”和“孩奴”，还有“卡奴”和“车奴”。
（课文例句：我们买了 130 平方米的大房子，成了房奴，买了高级家具和电器，日子却过得越来越紧张。）

第四组：① 人口过多造成了住房紧张，交通拥挤。
② 刚毕业的时候，工资低，日子过得很紧张。
③ 他在经济上有点儿紧张。
（课文例句：我们买了 130 平方米的大房子，成了房奴，买了高级家具和电器，日子却过得越来越紧张。）

第五组：① 把大房子换成小房子。
② 他的汉语很好，别人常常把他当成中国人。
③ 别把我当成富翁，我只是个穷学生。
（课文例句：我们决定把大房子换成 70 多平方米的房子。）

第六组：① 他买汽车差不多花光了所有的钱。
② 我们差不多有十年没见面了。
③ 差不多就行了，别那么认真了。
（课文例句：这次非洲之行花了差不多两万元。）

17-3 三、根据课文内容选择

1. 课文中的观点认为，中西方的消费观念有什么差别？

A 中国　　B 西方

1. 买汽车	A	4. 买衣服	A
2. 去旅行	B	5. 学习课程	B
3. 买房子	A	6. 陪伴家人	B

2. "我"以前的生活和现在有什么不一样?

A 以前　　B 现在

1. 130 平米的房子	A	6. 还清了贷款	B
2. 70 多平米的房子	B	7. 有 20 万块钱	B
3. 高级的家具	A	8. 生活过得很紧张	A
4. 简单的家具	B	9. 有钱去旅行	B
5. 要还贷款	A		

17-3 五、根据课文内容，判断正误

1. 大房子让他们成了房奴。（ √ ）
2. 他们把大房子换成了小房子，不用还贷款了。（ √ ）
3. 住在小房子里，生活很紧张。（ × ）
4. 他们的大房子卖了 20 万块钱。（ × ）
5. 他们把钱花在旅行上了。（ √ ）
6. 老公做梦去了非洲。（ × ）
7. 儿子的同学都很羡慕他。（ √ ）

七、在词语和它们的意思之间连线，然后用这些词语填空

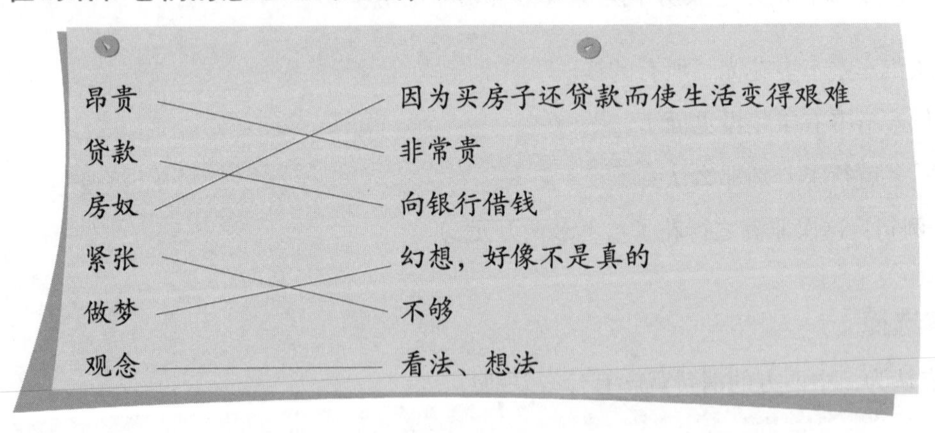

他买了房子，每个月要还银行的（贷款），生活很（紧张）。所以他从来不敢买（昂贵）的家具和衣服，也不敢随便换工作。他（做梦）都想早点儿还清（贷款），不再当（房奴）。后来，他改变了住房（观念），决定卖掉房子，租房子住。

17-4 八、选词填空

观念　换　差不多　房奴　孩奴　剩下

要求
① 请先独立填写答案
② 填好后同学之间可以讨论
③ 最后听录音

1. 人们的收入增加了，消费（观念）也开始改变。
2. 一次次的失败（换）来了宝贵的经验。
3. 我已经做了一半作业，（剩下）的明天做。
4. 他们不想生小孩，不愿意当（孩奴），但是他们的父母不同意。
5. 短短两年，他（换）了好几个工作。
6. 他来中国（差不多）两年了，汉语越来越好。
7. “男主外，女主内”的老（观念）应该改改了。
8. 房子的贷款要还 30 年，我真成了（房奴）！

18 钱的想象力

畅所欲言

1. 你觉得下面这些钱有多少？跟你的同伴讨论一下。表示钱很多或很少的是哪些词语？

一箱子钱　一点儿钱　巨款　一笔钱　一沓钱　一袋钱　几个钢镚儿

2. 下面的东西或费用大概是多少钱？

一台笔记本电脑（　　）　一瓶啤酒（　　）　一个电子词典（　　）

一斤苹果（　　）　餐厅服务员的工资（　　）　留学生一学期的学费（　　）

3. 读右面的两个广告，哪个是失主写的，哪个是捡到东西的人写的？

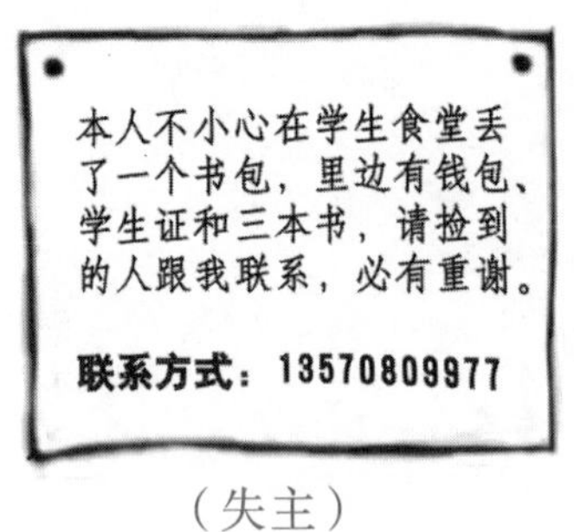

（失主）

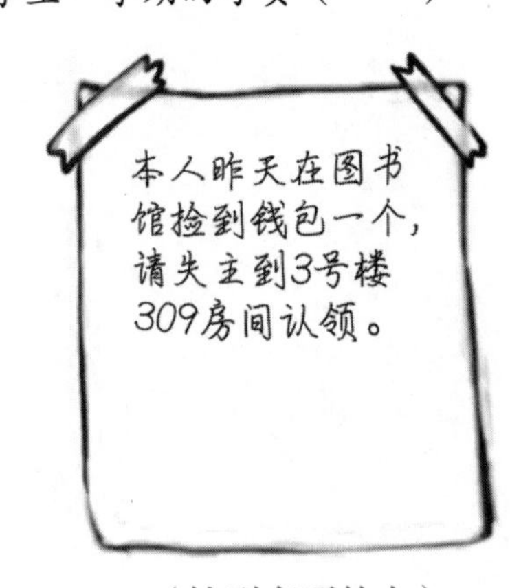

（捡到东西的人）

课　文

钱的想象力

一天早晨，在自由市场里，一个卖土豆的老头儿，在摊位前面放了一张字条，上面写着：捡到一袋钱，请失主来领取。

有人走过，看了看字条，说："哎哟，老头儿捡到钱了！"

又有人走过，看了看字条，说："有多少钱啊？也许是笔巨款。"

老人不回答，继续卖他的土豆。

过了一会儿，老头儿的旁边已经围满了人，老头儿捡到巨款的消息已经传到了大街上，而且钱的数目不断地增加。

一个中年男人走到老人旁边问："大伯，你说说，那袋子是什么样子的，前几天我在这附近丢了个钱包，里边有几千块钱，说不定你捡到的钱是我的呢。"老人看了他一眼说："自己的钱袋长什么样子都不知道吗？"

一位中年妇女走过来说："大爷，看你这么认真，钱最少也有几万吧？你说说钱袋的样子，我们大家也好帮助你一起找失主啊。"老人摇摇头，不说话。

一个小伙子说："老头儿，听说钱有一箱子，有几十万吧？拿出来大家分了得了。"

一个姑娘开玩笑说："谁丢了这么多钱也不来领，是不是抢银行的钱啊，应该有几百万吧？"

在真正的失主出现之前，这笔钱的数目被越说越大，来领钱的人也越来越多，当然，他们说的钱袋的样子都不对。

后来，电视台播出了这个新闻，真正的失主才找到，他也是市场里的小贩，卖水果的。那天收摊儿时忘了带走钱袋，这几天，又因为母亲生病而没来市场。

现在你应该知道钱袋里有多少钱了，倒真的有很大一袋，但最大的一张是20元的，最多的是一毛两毛的零钱，全部点出来，也只有200多元。

（选自网络同名文章）

练　习

18-2 一、请仔细听录音，找出每组句子有什么共同的地方

第一组：① 那个书包是什么样子的？
② 多年不见，他说话的样子我还记得。
③ 你还是老样子，一点儿都没变！
（课文例句：大伯，你说说，那袋子是什么样子的。）

第二组：① 他把电子词典带在身边，好随时查字典。
② 下飞机以后，一定要给我发短信，好让我放心。
③ 父母做了所有的家务，好让孩子有时间学习。
（课文例句：你说说钱袋的样子，我们大家也好帮助你一起找失主啊。）

第三组：① 中午随便吃点儿就得了，晚上再好好做一顿。
② 你的手机那么旧，扔了得了，再买个新的。
③ 天气不好，咱们别去爬山了，看电影得了。
（课文例句：老头儿，听说钱有一箱子，有几十万吧？拿出来大家分了得了。）

第四组：① 我跟你开玩笑呢，你别生气啊。
② 他很喜欢开玩笑，谁知道他说的是不是真的。

③ 学生一般不敢开老师的玩笑。

（课文例句：一个姑娘开玩笑说："谁丢了这么多钱也不来领，是不是抢银行的钱啊，应该有几百万吧？"）

第五组：① 雪越下越大。

② 越紧张越容易出错。

③ 天气越冷，越要注意锻炼身体。

（课文例句：在真正的失主出现之前，这笔钱的数目被越说越大。）

18-3 二、听全文，在括号中正确的选项后画 √

1. 这件事发生在（超市　自由市场 √　百货商店　）
2. 捡到钱的人是（老人 √　顾客　年轻人　中年人　）
3. 失主是（卖土豆的　卖水果的 √　顾客　）
4. 钱袋里一共多少钱？（几百 √　几千　几万　几十万　几百万　）

18-3 18-4 三、根据课文内容，选择正确答案

1. 老人捡到钱以后，那个中年男人说什么？（ A ）
   A. 钱可能是他的　B. 要帮助老人找失主　C. 问捡了多少钱
2. 那个中年妇女提了一个什么建议？（ C ）
   A. 把钱分给大家　B. 把钱给她　C. 告诉大家钱袋子的样子
3. 那个小伙子的建议是什么？（ B ）
   A. 把钱给警察　B. 把钱分给大家　C. 抢银行
4. 对于这袋子钱，大家一致有什么样的猜想？（ A ）
   A. 数目很大　B. 是偷来的　C. 钱不多
5. 老人根据什么判断谁是失主？（ B ）
   A. 钱的数量　B. 钱袋子的样子　C. 在哪儿捡的钱
6. 最后老人是怎么找到失主的？（ B ）
   A. 失主自己找到了老人　B. 通过电视新闻　C. 通过广播新闻
7. 失主为什么一开始没来认领他的钱？（ C ）
   A. 他不知道丢了钱　B. 他忘了钱袋子的样子　C. 他没来市场
8. 钱袋子里的钱，最大的一张是多少钱？（ B ）
   A. 10 元　B. 20 元　C. 50 元　D. 100 元

9. 钱袋子里的钱，最多的是哪种钱？（ A ）

A. 一毛两毛的零钱　　B. 20 元的整钱　　B. 10 元的整钱

18-3 四、根据课文内容选择

下面这些事是谁做的？

A 卖土豆的　B 中年男人　C 中年妇女　D 小伙子　E 姑娘　F 卖水果的

1. 捡了一袋钱 A
2. 因为母亲生病没来市场上班 F
3. 说钱可能是他前几天丢的 B
4. 说钱可能是从银行抢的 E
5. 说愿意帮助找失主 C
6. 建议大家把钱分了 D

六、给“钱”搭配合适的动词

1. 你一个月（挣）多少钱？
2. 我刚刚（捡）了 100 块钱，是谁丢的？
3. 小偷（偷）了我的钱。
4. 我最近要买房子，想跟朋友（借）点儿钱。
5. 他去年借的钱现在才（还）。
6. 一共 8 块，您给我 10 块，（找）您两块。
7. 麻烦您，请帮我（换）10 张 10 块的，这是 100 块。
8. 出去旅行的时候，一定要（带）够钱！

18-5 七、根据课文内容，先自己填空，然后跟同伴讨论，最后听录音

卖土豆的老人（捡）了一袋钱，别人想知道（有多少钱），有的人说有几千，有的人说有几万。还有的人问袋子是（什么样子）的，老人不说。钱的数目被越（说）越（大），想领钱的人也（越来越）多。最后，通过电视台的帮助，找到了（失主）。原来他是卖（水果）的，下班时忘了带走钱袋，这几天又因为（母亲）生病，没来市场。袋子里的钱大部分是一毛两毛的（零钱），一共只有（200）多元。

18-6 八、选词填空

好　得了　越A越B　样子　开玩笑　说不定　零钱

1. 市场很近，你骑我的车（得了），给你钥匙。
2. 你丢的书包是什么（样子）的？里边有什么东西？
3. 他每天都带着电子词典，（好）随时学习汉语。
4. 年龄（越）大，（越）容易忘事。
5. 他穿的虽然不好，可（说不定）是个富翁呢。
6. 别（开玩笑）了！我哪有钱买房子呀？
7. 坐公共汽车，要准备好（零钱），100块钱可找不开。
8. 他一早就走了，（好）在堵车以前到火车站。
9. 今天天气这么好，咱们别坐车了，走路去（得了）。
10. 你（越）不想告诉他，他（越）想知道是怎么回事。

要求
① 请先独立填写答案
② 填好后同学之间可以讨论
③ 最后听录音

19 健身三人谈

课　文

健身三人谈

① A：我叫丽丽，在一家公司工作。我小时候就不爱运动，身体也不太好。工作以后才认识到健身的重要。我也试过很多健身方法：去健身房、跳健身操、游泳，钱花了不少，可是由于工作太忙，都没坚持下来。最后我找到一个最方便、最适合我的方法，就是走路或骑自行车，每天只要提前半小时起床就可以走路上班，要是骑车，提前十几分钟就够了。其实，健身是一种意识，不一定要花钱才能健身，只要有这种意识，每个人都能找到适合自己的健身方式。

② B：我是晓敏，我开始跳健身操完全是被动的，心想，身体好好的，用不着去花那份钱。后来，我开始变胖，为了减肥，我又吃药又节食，都没什么用。于是在朋友的建议下去跳了健身操，没想到，几个月跳下来，我整个人从里到外都发生了明显的变化，不仅身材苗条多了，更重要的是找回了健康和自信的感觉，工作再忙，都不觉得累。我最大的体会是，跳健身操，不仅锻炼身体，而且能让人有个好心情。在这六年多的时间里，我每周都抽出两三个晚上去跳健身操，虽然现在的费用是六年前的两倍，但这个钱我认为很值得花。

C：我认为健身是必要的，但是为了健身，总不能连饭也不吃吧！现在中国的健身俱乐部也太贵了，普通老百姓一般付不起。要是健身的价格能在收入的5%以下，我想去健身房的人数会大大增加的。不过现在有不少地方都有室外的免费健身器，在那儿健身，也能起到一样的作用。

练　习

19-2 一、请仔细听录音，找出每组句子有什么共同的地方

第一组：① 他认识到了自己的错误，大家也都原谅他了。

② 我到了中国以后才认识到汉语是多么重要。

③ 人们越来越认识到，环境保护是全世界的事。

（课文例句：我小时候就不爱运动，身体也不太好。工作以后才认识到健身的重要。）

第二组：① 很多中国人认为，亲人和朋友之间用不着说“对不起”。
② 我的事用不着你管！
③ 从北京到天津坐火车最快才半个多小时，用不着坐飞机。
（课文例句：我开始跳健身操完全是被动的，心想，身体好好的，用不着去花那份钱。）

第三组：① 每天我再忙，都会给家里打个电话。
② 每天再忙我都要去跑步。
③ 不需要的东西，再便宜我也不买。
（课文例句：工作再忙，都不觉得累。）

第四组：① 这个电影很值得看。
② 别人的优点都值得学习。
③ 北京有很多值得去的地方。
（课文例句：虽然现在的费用是六年前的两倍，但这个钱我认为很值得花。）

第五组：① 这个价格一般人都付得起。
② 学费又涨了，不少农村家庭都付不起。
③ 买一辆汽车要 20 多万，你付得起吗？
（课文例句：普通老百姓一般付不起。）

19-3-1 19-4

三、根据课文第一段内容，选择正确答案

1. 开始，丽丽为什么没能坚持健身？（ A ）

A. 因为工作太忙　　B. 因为花钱太多
C. 因为不喜欢运动　　D. 因为要提前起床

2. 最适合丽丽的健身方式是什么？（ D ）

A. 去健身房　　B. 跳健身操
C. 游泳　　D. 走路或者骑车

19-3-1

四、根据课文第一段内容，判断正误

1. 丽丽工作以后才开始健身。（ √ ）
2. 丽丽不能坚持去健身房和游泳，是因为花钱太多。（ × ）
3. 丽丽每天走路半小时上班。（ × ）
4. 丽丽认为健身不一定要花钱。（ √ ）
5. 丽丽不喜欢运动，所以不能坚持去健身房健身。（ × ）

19-3-2 五、根据课文第二段内容，判断正误

1. 晓敏以前认为，只要身体好，就不需要健身。 （ √ ）
2. 晓敏为了减肥才去跳健身操。 （ √ ）
3. 晓敏只跳了几个月健身操。 （ × ）
4. 晓敏跳健身操以后，工作更忙了。 （ × ）
5. 晓敏跳了健身操才收到了减肥的效果。 （ √ ）
6. 晓敏每天都去跳健身操。 （ × ）
7. 晓敏认为跳健身操的费用太高。 （ × ）

19-3-2 19-5 六、根据课文第二段内容，选择正确答案

1. 晓敏跳健身操的目的是什么？（ B ）

A. 能有好心情　　B. 变得瘦一些
C. 更好地工作　　D. 调节好情绪

2. 晓敏没试过哪种减肥方法？（ D ）

A. 吃药　　B. 节食
C. 跳健身操　　D. 游泳

3. 晓敏多长时间跳一次健身操？（ C ）

A. 每天一次　　B. 每周一次
C. 每周两三次　　D. 每月两三次

4. 为什么去健身房的人不那么多？（ A ）

A. 经济条件不允许　　B. 免费健身器挺好
C. 大家工作都挺忙　　D. 大家认为没必要

19-3-2 七、根据课文第二段内容选择

在男士的观点后画 √

1. 健身是不必要的。 （ ）
2. 不吃饭对身体不好。 （ ）
3. 现在健身的价格只占收入的 5%。 （ ）
4. 健身价格应该低于收入的 5%。 （ √ ）
5. 免费健身器不如健身房好。 （ ）

19-6 八、选词填空（有一个词是多余的）

认识到　健身　提前　用不着　总不能　值得　付不起　再……都……

要求
① 请先独立填写答案
② 填好后同学之间可以讨论
③ 最后听录音

1. 他已经是大人了，（用不着）为他担心。
2. 这么大的变化，（值得）我们重视。
3.（再）累的活儿，（都）得有人干。
4. 以前人们说的“锻炼身体”就是现在的“（健身）”。
5. 这么贵的房租，我可（付不起）。
6. 环境污染使人们（认识到）环境保护的重要。
7. 春节前，买回家的火车票，排一天队也是（值得）的。
8. 即使工资（再）低，他（都）愿意在那儿待下去。
9. 从明天开始，我要（提前）半小时起床，这样就不会迟到了。

20 吃饭和减肥

课　文

吃饭和减肥

① 最近有人在广州、上海等四个城市做了一次调查，发现中小学生中不吃早饭的大有人在，在 8 到 16 岁的城市儿童中大约占了 7%。调查同时发现，每周吃早饭的次数越多，儿童肥胖的比例越低。每周只吃一次早饭的儿童，肥胖率为 18.6%，每周吃二到四次早饭的肥胖率为 13.5%，而每周至少吃五次早饭的肥胖率为 11.8%。

不吃早饭为什么会引起肥胖，原因还不是很清楚。一种解释是，不吃早饭的人到了吃午饭的时候，由于太饿了，不知不觉就会吃下去过多的食物，这样就会引起肥胖。尽管这个解释还不能让所有的人都满意，但大家都认为，不吃早饭和肥胖有关系。因此减肥专家告诉人们，不吃早饭并不能减肥，反而会使人变得更胖。

② 最近的研究发现，和胖人一起吃饭有助于减肥。如果胖人点的饭菜很多，他的朋友也会点很多，但是一般不会吃完。而和一个虽然很瘦但吃得很多的人一起吃饭的话，人们会受他的影响，也会点一大份饭，而且，人们一般会把饭菜吃完。因此常常跟瘦人一起吃饭，很可能会因为吃得太多而变胖。

③ 如果你想减肥，还可以试试下面的做法：吃饭时，用小一点儿的碗装食物；先用勺一口一口地喝完汤，再吃其他东西；肉和饭最后吃，而且要小口小口地吃；多吃水果而不是多喝果汁；只在饭桌上吃东西；不一边看电视一边吃东西；吃东西后立刻刷牙；不要在家里准备零食；把收到的饼干、蛋糕都送给别人；肚子饿的时候，不要去买东西。

练　习

20-2 **一、请仔细听录音，找出每组句子有什么共同的地方**

第一组：① 在很多国家，人口的出生率在下降。

② 政府希望失业率在 10% 以下。

③ 这几年儿童的肥胖率明显增加了。

（课文例句：每周只吃一次早饭的儿童，肥胖率为 18.6%。）

第二组：① 在不知不觉中，他听得懂的汉语越来越多了。
② 时间过得真快，不知不觉半年过去了。
③ 他看电视，不知不觉睡着了。
（课文例句：由于太饿了，不知不觉就会吃下去过多的食物，这样就会引起肥胖。）

第三组：① 开快车容易引起交通事故。
② 他的话引起了我的兴趣。
③ 人口出生率下降引起了人们的注意。
（课文例句：由于太饿了，不知不觉就会吃下去过多的食物，这样就会引起肥胖。）

第四组：① 看着钱一天天变少，他很着急。
② 用了新方法以后，他的生意变好了。
③ 他每天坚持健身，所以最近变瘦了很多。
（课文例句：不吃早饭并不能减肥，反而会使人变得更胖。）

第五组：① 奥运会对北京有什么影响？
② 受父母的影响，他长大以后当了教师。
③ 运动对人的情绪有好的影响。
（课文例句：和一个虽然很瘦但吃得很多的人一起吃饭的话，人们会受他的影响，也会点一大份饭。）

20-3 二、听全文，选择课文提到了哪些内容，在括号里画√

1. 儿童不吃早饭容易肥胖。 （ √ ）
2. 和胖人一起吃饭，容易肥胖。 （ ）
3. 怎么吃东西才能减肥。 （ √ ）
4. 什么东西有营养。 （ ）

20-3-1 三、根据课文第一段内容，判断正误

1. 在广州、上海等四个城市，有 7% 的中小学生不吃早饭。 （ √ ）
2. 早饭吃得越多，肥胖的比例越低。 （ × ）
3. 每周吃早饭的次数越多，肥胖的比例越低。 （ √ ）
4. 不吃早饭的人，午饭往往吃得过多。 （ √ ）
5. 吃不吃早饭和肥胖没关系。 （ × ）

20-4 四、边听录音边填空，并用自己的话说一说句子的意思

1. 中小学生中不吃早饭的（大有人在）。
2. 每周吃早饭的（次数）越多，儿童肥胖的（比例）越低。
3. 尽管这个（解释）还不能让所有的人都满意，但大家都认为，不吃早饭和肥胖（有关系）。
4. 不吃早饭（并）不能减肥，（反而）会使人变得更胖。

20-3-3 七、听课文第三段，在括号中正确的选项后画√

课文中提到了哪些减肥方法？

1. 吃饭时，用（小一点儿√　大一点儿　）的碗装食物；
2. 先（喝汤√　吃东西　），再（喝汤　吃东西√）；
3. 肉和饭（最早　最后√）吃，而且要（小口小口√　大口大口　）地吃；
4. 多（吃水果√　喝果汁　）而不是多（吃水果　喝果汁√）；
5. 只在（房间里　饭桌上√）吃东西；
6. 不一边（聊天儿　看电视√）一边吃东西；
7. 吃东西后（立刻√　等会儿　）刷牙；
8. 不要在家里（吃　准备√）零食；
9. 把收到的饼干、蛋糕都（送给别人√　赶快吃掉　）；
10. （吃饱了　肚子饿√）的时候，不要去买东西。

20-5 八、选词填空

比例　次数　大有人在　引起　率　变　不知不觉　影响

1. 小孩出生时，男女性别（比例）一般是104–107:100。
2. 他每天吃零食、喝饮料，（不知不觉）变胖了。
3. 地球变暖（引起）了全世界的注意。
4. 这个城市的离婚（率）是30%。
5. 大学毕业找不到工作的（大有人在）。
6. 长时间压抑自己，会（引起）头疼。
7. 失败的（次数）越多，离成功越近。
8. 马路（变）宽了，空气也（变）干净了。
9. 去年全国人口出生（率）为12.13%，死亡（率）为7.08%，自然增长（率）为5.05%。
10. 科学家发现，长时间使用电子邮件可能（影响）人们理解对话和阅读的能力。

要求

① 请先独立填写答案
② 填好后同学之间可以讨论
③ 最后听录音

21 失败产品博物馆

课　文

失败产品博物馆

据说在美国有一个失败产品博物馆，展览着大量不受消费者欢迎的产品，目前已经有8万多件，其中不同牌子的饮料和酒类就多达300多种。展品很有说服力，仔细看看，比较比较，参观者会有一个相同的感觉：失败产品不行就是不行。可当初它们又是怎么走进市场的呢？博物馆告诉我们这样一个数字：美国每年推向市场的新产品有5400多种，真正受到欢迎的只有20%。经营者面对这个事实，不得不想方设法开发新产品，但他们却不应该一拍脑袋就把失败产品扔向市场。

为什么这些不幸的产品会成为失败产品？有的是因为上市时间太晚，同样的产品已经占领了市场；有的是市场上根本不需要这种东西；有的是牌子不好听；有的是商标不好看，不引人注目；有的商品质量虽然不错，广告却做得不好。当然，更多的产品是因为质量差、价格高才退出市场的。

失败是成功之母，建立失败产品博物馆，目的就是让人们关注失败、研究失败，明天取得成功。有人说：我们从失败中学到的东西要比从成功中学到的东西多得多。

（选自子琦同名文章）

练　习

21-2 一、请仔细听录音，找出每组句子有什么共同的地方

第一组：① 运动员的成绩最有说服力。

② 他的画儿充满了想象力。

③ 他的适应力很强，到哪儿都能很快习惯。

（课文例句：展品很有说服力。）

第二组：① 不懂就是不懂，多问问就行了。

② 真的就是真的，假的就是假的，怎么也变不了。

③ 学就是学，玩儿就是玩儿，不能一边学一边玩儿。

（课文例句：失败产品不行就是不行。）

第三组：① 放暑假了，有的同学回家了，有的去打工，有的去旅行。

② 同学们临近大学毕业，有的找到了工作，有的还没找到，继续在找，有的在准备考研究生。

③ 早晨马路上净是上班的人，有的开车，有的坐公共汽车，有的骑自行车……

（课文例句：有的是因为上市时间太晚，同样的产品已经占领了市场；有的是市场上根本不需要这种东西；有的是牌子不好听；有的是商标不好看，不引人注目；有的商品质量虽然不错，广告却做得不好。）

第四组：① 这家旅馆的条件很差，常常没有热水。

② 这个商场的东西质量差、价格高，所以没有什么人去。

③ 这个城市脏、乱、差，一点儿也不像大城市。

（课文例句：更多的产品是因为质量差、价格高才退出市场的。）

第五组：① 今天比昨天冷得多。

② 这个食堂的饭菜比那个食堂好吃得多。

③ 这儿的物价比我们那儿高得多。

（课文例句：我们从失败中学到的东西要比从成功中学到的东西多得多。）

21-3 二、听全文，选择课文提到了哪些内容，在括号里画 √

1. 人为什么会失败。 （ ）
2. 失败产品为什么失败。 （ √ ）
3. 什么是好产品。 （ ）
4. 在哪儿能买到好产品。 （ ）

21-3 21-4 三、根据课文内容，选择正确答案

1. 每年美国市场上不受欢迎的产品大约有多少？（ D ）

A. 5400 多种　　B. 每年新产品的 20%

C. 300 多种　　D. 每年新产品的 80%

2. 成为失败产品的原因不包括什么？（ A ）

A. 不美观　　B. 广告做得不好

C. 质量差、价格高　　D. 市场不需要

21-3 四、根据课文内容，判断正误

1. 失败产品博物馆每年增加 8 万多种产品。 （ × ）
2. 失败产品中酒类、饮料多达 300 多种。 （ √ ）

3. 美国每年有 5400 多种新产品进入市场。 （ √ ）
4. 经营者在开发新产品上应小心、谨慎。 （ √ ）
5. 开发新产品不需要费什么心思。 （ × ）
6. 有的产品失败是因进入市场晚了。 （ √ ）
7. 有的产品失败是因市场不了解这一产品。 （ × ）
8. 有的产品失败是因市场不需要这一产品。 （ √ ）
9. 有的产品失败是因为商标设计得不好。 （ √ ）
10. 办这个博物馆的目的是让人们明天取得成功。 （ √ ）

五、在词语和它们的意思之间连线，然后用这些词语填空

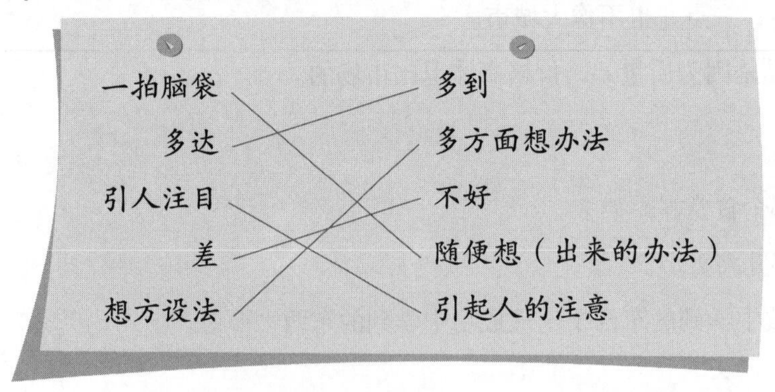

1. 不同牌子的饮料和酒类就（多达）300 多种。
2. 经营者不得不（想方设法）开发新产品。
3. 他们却不应该（一拍脑袋）就把失败产品扔向市场。
4. 有的商标不好看，不（引人注目）。
5. 更多的产品因为质量（差）、价格高才退出市场。

21-5 六、选词填空

（一）完成句子

A就是A　说服力/注意力/影响力　A比B+adj.+得多　有的　想方设法　差

要求
① 请先独立填写答案
② 填好后同学之间可以讨论
③ 最后听录音

1. 没说（就是）没说，你害怕什么？
2. 这个观点缺乏（说服力）。
3. 国家强大了，（影响力）就会越来越大。
4. 我知道的（比）你多（得多）。
5. 春节是中国最重要的节日，人们都要（想方设法）回家过年。
6. 漂亮（就是）漂亮，不化妆都好看。
7. 工作以后，压力（比）当学生的时候大（得多）。

8. 只要能住就行，条件（差）一点儿没关系。

9. 这些产品（有的）质量差，（有的）价格高，都退出了市场。

10. 他看书的时候，（注意力）很集中。

（二）完成短文

酒类	赚	高价	肯定	反而	免费	影响	越	多	少

喝水要钱，花生免费

在一些酒吧，一杯水卖五块钱，但花生却是（免费）的，可以随时要。花生（肯定）比水成本高，为什么（反而）不要钱呢？

要理解酒吧为什么这么做，我们先要弄明白花生和水对酒的需求量有什么（影响）。因为花生是咸的，顾客吃的花生（越）多就越渴，点的（酒类）和其他饮料就越多，酒吧（赚）的钱就越多。如果顾客喝的水多，需要的酒自然就少了，酒吧赚的钱也就少了。所以，虽然水比花生便宜，可是酒吧还是愿意免费提供（高价）的花生，那样的话，顾客就会（少）喝水而（多）喝酒了。

22 德国丈夫中国妻

课　文

德国丈夫中国妻

记者：现在，跨国婚姻越来越多，不同国家的人结了婚，他们的生活是什么样的呢？今天我们请了一位德国丈夫和他的中国妻子，一起来聊聊他们的家庭生活。哎，你们两位是怎么认识的？

丈夫：我中学毕业的时候，想出国旅游，我爸爸说："出国不能光玩儿，要是你能学一门当地的语言，我就给你出旅费。"我想，那好吧，就学中文吧，于是我就从德国到了北京，开始学中文。

妻子：那时候我刚上大学，一个朋友请我参加一个有老外的聚会，我就去了。

记者：你们俩在聚会上一见钟情？

丈夫：是啊，现在我们结婚都快十年了。我的妻子哪儿都挺好，就是从来不认错。我们德国人从小受到的教育就是，做错了事要道歉，不管是在家里还是在外面，道歉并不丢面子呀。

妻子：在家里有必要道歉吗？事情过去了不就得了，跟家里人，还老把"对不起"挂在嘴上，那多见外啊。

丈夫：你看看，这就是她的态度。

记者：那你有没有看不惯先生的地方啊？

妻子：怎么没有啊？有一年圣诞节，我们从中国到德国去看他父母。吃晚饭的时候，他妈妈端上汤和牛肉。我想，别的菜很快就会上来吧，可是等啊等啊，再没别的了。他妈妈说："就这些了，你爸爸正减肥呢。"你看，为了全家团圆，我们大老远地跑来，吃的就是这个，你说，这在中国可能吗？

丈夫：可当时爸爸正在减肥，我们不好破坏他的计划呀。

妻子：说到计划，德国人可真是什么事都讲计划。我们和朋友一起开车出去玩儿，中途我给汽车加油，你说这算得了什么呀，可他就会说我："为什么事先不准备好？为什么要让朋友等你？"不过，话说回来，他的德国朋友的确是事先都做好准备的。

丈夫：你不觉得这是美德吗？

妻子：那要看怎么说了。

记者：我想你们之间一定也有互补的方面。

妻子：那当然了。我这个人特别懒得出门，他喜欢运动，常常带我爬山、旅游。前两天我们刚爬了香山，感觉好极了。

丈夫：说实在的，她对我的帮助也很大，在我感兴趣的各个方面，不论是中国历史、艺术还是风俗习惯，她都是我耐心的老师。

练　　习

22-2 一、请仔细听录音，找出每组句子有什么共同的地方

第一组：① 他这个人，哪儿都好，就是爱抽烟。
② 那个饭馆哪儿都好，就是有点儿远。
③ 我哪儿都想逛逛，就是不想去百货大楼。
（课文例句：我的妻子哪儿都挺好，就是从来不认错。）

第二组：① 以前，离婚常常被看成没有面子的事。
② 他这两年挣了不少钱，觉得很有面子。
③ 有人觉得说“对不起”很丢面子。
（课文例句：不管是在家里还是在外面，道歉并不丢面子呀。）

第三组：① 这么点儿小事，直接告诉她不就得了。
② 你想知道他的意见，打个电话问一下不就得了？
③ 自行车丢了，买辆新的不就得了？
（课文例句：在家里有必要道歉吗？事情过去了不就得了。）

第四组：① 我真看不惯上车不排队的人。
② 他总是抱怨，让人看不惯。
③ 对于自己看不惯的人和事，他都会说出来，不管别人的感受。
（课文例句：那你有没有看不惯先生的地方啊？）

第五组：① 我知道健身的重要性，就是懒得去。
② 找了几个月的工作都没找到，我都懒得再找了。
③ 新买的东西质量不太好，不过我懒得去换了。
（课文例句：我这个人特别懒得出门，他喜欢运动，常常带我爬山、旅游。）

22-3 三、根据课文内容，判断正误

1. 丈夫来北京是为了学习中文。　　（ × ）
2. 他们结婚快十年了。　　（ √ ）

3. 妻子认为跟家里人不用道歉。 (√)
4. 妻子觉得自己没错，所以不道歉。 (×)
5. 因为丈夫的爸爸正在减肥，他们春节只吃了汤和牛肉。 (×)
6. 妻子跟朋友开车出去玩儿时，没有事先给汽车加油。 (√)
7. 丈夫不满意妻子太懒。 (×)
8. 妻子认为一切都讲计划不一定好。 (√)
9. 他们俩都很喜欢运动。 (×)
10. 妻子是教中国历史、艺术的老师。 (×)

22-3 22-4 四、根据课文内容，选择正确答案

1. 丈夫为什么要学习中文？ (C)
   A. 为了学习中国文化　　B. 为了去中国旅游方便
   C. 为了让爸爸出旅费　　D. 为了跟中国姑娘结婚

2. 他们是在哪儿认识的？ (C)
   A. 德国的学校　　B. 北京的香山
   C. 朋友的聚会上　　D. 中文课上

3. 丈夫不满意妻子什么？ (B)
   A. 不爱干活　　B. 从来不认错
   C. 吃得太多　　D. 常常让朋友等她

4. 妻子不满意丈夫什么？ (A)
   A. 什么都按计划办　　B. 过节的饭不丰富
   C. 经常让她道歉　　D. 不给汽车加油

5. 妻子为什么不跟丈夫认错？ (B)
   A. 她认为自己没错　　B. 她认为跟家人不必认错
   C. 她认为道歉太丢面子　　D. 她认为小事不用说“对不起”

6. 那一年圣诞节在丈夫家，为什么吃得那么简单？ (A)
   A. 丈夫的爸爸在减肥　　B. 他们家不重视圣诞节
   C. 父母对他们不太热情　　D. 这是德国的传统

7. 妻子认为中途给汽车加油怎么样？ (A)
   A. 无所谓　　B. 很不好
   C. 不好意思　　D. 是应该的

22-3 五、根据课文内容填表（有多余的选项）

A. 做错了事不道歉　　B. 什么都按计划办　　C. 耐心
D. 喜欢运动　　E. 不事先做准备　　F. 在减肥

	缺点	优点
妻子	A　E	C
丈夫	B	D

22-5 七、听录音复述句子，然后回答问题

1. 事情过去了不就得了？
   问：这个人认为事情严重不严重？
2. 你看看，这就是她的态度。
   问：这句话是什么语气？满意还是不满意？
3. 你说，这在中国可能吗？
   问：这在中国可能还是不可能？
4. 中途我给汽车加油，你说这算得了什么呀？
   问：说话人认为，给汽车加油严重不严重？
5. 是不是美德那要看怎么说了。
   问：说话人认为这是不是美德？

22-6 八、选词填空

谁/什么/哪儿都……就是……　面子　看不惯　不习惯　不就得了　懒得　话说回来

要求
① 请先独立填写答案
② 填好后同学之间可以讨论
③ 最后听录音

1. 你们去（哪儿都）行，（就是）不许到这儿来。
2. 这次没考好，以后好好学习（不就得了）？
3.（谁都）挺忙，（就是）他不忙。
4. 为了不丢（面子），他花了一个月的工资请客。
5. 他（看不惯）年轻人整天上网玩儿游戏。
6. 现在买房太贵了，不过，（话说回来），很多人认为不买房就没法结婚。
7. 你做错了，跟他道个歉（不就得了）？
8. 不少孩子觉得父母太唠叨，什么事都（懒得）跟父母说。
9. 他放假在家（什么都）不做，每天（就是）看电视。
10. 我（不习惯）8点就上课，实在起不来。

23 会打字不会写字

课　文

会打字不会写字

① 中秋节前，张小姐给父母写了一封信，祝他们节日快乐。父母接到信，打开一看，发现是用电脑打印的，心里很失望。父母很快给张小姐回了一封信，他们在信中生气地说："你是写信还是给我们发文件呢？就算你的钢笔字写得再不好看，我们看着也亲切呀。"

王先生倒是收到了女儿从国外寄来的亲笔信，不过，让他吃惊的是，在这封不到一千字的信里，竟然有几十个错别字。在后来的电话里，女儿告诉他，这种情况在她的同学中非常多见："平时几乎不用笔写字了，这次写信的笔都是临时去买的，很多字已经忘记了。"

有一位刘先生，参加工作已经很多年了，最近他在利用周末的时间上法律课，他说："平时都是用电脑打字，有一次考试，竟然感到用手写字非常不习惯，遇到不会写的字，只有用手机写短信的方法来查字，然后再照着写，现在真是离开电脑就不会写字了。"

② 这几个例子反映了电脑带来的一个问题，随着电脑的普及，人们越来越习惯打字，用手写字的能力大大下降了，很多人已经变成会打字不会写字了。现在，小学生和中学生在老师的要求下会练习写字，到了大学和参加工作以后，大部分人就不再用笔，而改用电脑了。

用电脑打字实在太方便了，比如，很多四个字的成语，用拼音输入，只需要打 4 个字母，一两秒就可以打出来，又快又准确。但就是因为太方便了，没有人会注意这个字到底怎么写，时间一长，当然就不会写了。拿起笔就忘了字怎么写，已经成了年轻电脑族经常遇到的问题。

练　习

23-2 一、请仔细听录音，找出每组句子有什么共同的地方

第一组：① 我听不出来他是北京人还是东北人。

② 他是不愿意去还是不能去？

③ 你们俩长得真像，你是哥哥还是弟弟？

（课文例句：你是写信还是给我们发文件呢？）

第二组：① 票卖光了，就算再有钱也没办法。

② 就算买到了票，也不一定能按时回家。

③ 就算坐飞机去，也赶不上了。

（课文例句：就算你的钢笔字写得再不好看，我们看着也亲切呀。）

第三组：① 我临时决定回家以前去天安门看一看。

② 毕业以后，他当了半年临时工。

③ 因为工作原因，他临时改变了计划。

（课文例句：平时几乎不用笔写字了，这次写信的笔都是临时去买的。）

第四组：① 他利用业余时间学习英语。

② 他利用寒假去旅行 / 打工。

③ 人们利用科学技术使生活更加丰富多彩。

（课文例句：有一位刘先生，参加工作已经很多年了，最近他在利用周末的时间上法律课。）

第五组：① 随着科学技术的发展，人们的生活越来越方便。

② 随着人口的增加，住房越来越困难。

③ 随着年龄的增长，人的记忆力会慢慢下降。

（课文例句：随着电脑的普及，人们越来越习惯打字，用手写字的能力大大下降了，很多人已经变成会打字不会写字了。）

第六组：① 上班族

② 啃老族

③ 工薪族

④ 背包族

（课文例句：拿起笔就忘了字怎么写，已经成了年轻电脑族经常遇到的问题。）

23-3-1 三、根据课文第一段内容填表（有的答案可以填不止一次，有的答案是多余的）

A. 用电脑打印一封信　B. 用笔写一封信　C. 用手机查字，然后照着写

D. 用电脑发一个电子贺卡　E. 有很多错别字　F. 临时买写字的笔

G. 很多字忘了怎么写

人物	做了什么事
张小姐	A
王小姐（王先生的女儿）	B E F G
刘先生	C G

23-3-1 四、根据课文第一段内容，判断正误

1. 张小姐给父母写信，祝他们生日快乐。 (×)
2. 父母收到张小姐用电脑打印的信，很失望。 (√)
3. 张小姐把公司文件发给了父母。 (×)
4. 张小姐的钢笔字写得不好，所以用电脑打印了这封信。 (×)
5. 王先生的女儿很少用笔写字。 (√)
6. 王先生的女儿不会中文。 (×)
7. 王先生女儿的同学和她一样，很多字不会写。 (√)
8. 刘先生喜欢用手机发短信。 (×)
9. 刘先生考试的时候用电脑。 (×)

23-3-1 23-4 五、根据课文第一段内容，选择正确答案

1. 张小姐的父母收到她的信以后为什么失望？（ C ）

   A. 她的钢笔字太难看　　B. 她的信是一份文件

   C. 打印的信不够亲切　　D. 她的信父母看不懂

2. 王先生收到女儿的信以后为什么吃惊？（ B ）

   A. 信不是用笔写的　　B. 信里有很多错字

   C. 她的字不好看　　D. 她的字看不懂

3. 刘先生对什么不习惯？（ B ）

   A. 法律考试　　B. 用笔写字

   C. 用电脑打字　　D. 用手机查字

23-3-2 六、听课文第二段，选择这段课文提到了哪些内容，在括号里画√（可以多选）

1. 电脑是怎么普及的。 (　　)
2. 中小学生都不用电脑。 (　　)
3. 电脑打汉字很方便。 (√)
4. 电脑让人用手写字的能力下降。 (√)

23-5 八、边听录音边填空，并用自己的话说一说句子的意思

1. 你是写信（还是）给我们发文件呢？
2.（就算）你的钢笔字写得再不好看，我们看着（也）亲切呀。
3.（随着）电脑的普及，人们越来越（习惯）打字，用手写字的能力（大大）下降了。
4.（就是）因为太方便了，没有人会注意这个字（到底）怎么写，时间一长，当然就不会写了。

23-6 九、选词填空

还是	就算……也……	临时	利用	随着	打	写

1. 旧的手机和电脑应该得到再（利用）。
2. 你看得出来他是日本人（还是）韩国人吗？
3.（随着）产品质量的提高，价格也涨了。
4.（就算）挣了很多钱，身体不好，（也）享受不了好日子。
5. 春节期间，火车站有很多（临时）售票窗口。
6. 这种鱼能（随着）冷热的变化而改变身体的颜色。
7. 我不知道他是出国了（还是）考研究生了。
8.（就算）不能亲眼看见他们，我（也）很开心。
9. 因为一直用电脑，现在很多人只会（打）字，不会（写）字了。
10.（随着）天气变暖，越来越多的人到室外健身。

要求

① 请先独立填写答案
② 填好后同学之间可以讨论
③ 最后听录音

24 伤心故事

课　文

伤心故事

我们对儿子从小就很严格，一岁时儿子就一个人睡觉。上小学后儿子参加了武术队，体育馆离家四公里，全是他自己骑车来回，我们没有送过一次。倒不是做父母的心硬，我们总觉得让孩子吃点儿苦有好处，将来可以更好地适应竞争环境。

儿子就在这“残忍”的环境下长到了10岁，很懂事，也很聪明。学习上不要我们操心，生活上很有条理。可总让我弄不懂的是，这孩子什么都会，就是不会系鞋带。每次穿系鞋带的鞋时，他总是拿着鞋走过来，靠在你的怀里让你替他系，身子还软软地贴着你，穿好一只脚又伸出另一只脚，显得有些赖皮。你说他，他也不说什么——反正他是不会穿。

有一天，我有闲工夫，去体育馆看儿子训练。当时儿子正在练一套少林拳，突然他一踢腿，竟然把鞋子踢上了半空中！全场的人都笑了。儿子赶紧捡起鞋穿上，飞快地系上鞋带，动作十分熟练。我一下子蒙了：儿子会系鞋带！

吃晚饭时我问儿子为什么平时假装不会系鞋带，儿子红着脸，半天说出一句话：“我，我是想让你们抱我一下。”

这句话重重地敲在我的心上，我忽然明白了：我的孩子为了得到爸妈的一抱，竟然设计了一个特别的方式。

我后悔极了，而我的爱人，已经把孩子紧紧地抱在怀里，流下了眼泪。

（选自网络文章）

练　习

24-2 一、请仔细听录音，找出每组句子有什么共同的地方

第一组：① 不是我心硬，这件事我无论如何不能答应。

② 她这个人就是心硬，从来没人见过她掉眼泪。

③ 你怎么一点儿同情心都没有啊？心真硬。

（课文例句：倒不是做父母的心硬，我们总觉得让孩子吃点儿苦有好处，将来可以更好地适应竞争环境。）

第二组：① 为了找到一个好工作，他吃了不少苦。

② 人应该有吃苦精神。

③ 我妈妈就我这么一个女儿，从来就不舍得让我吃苦。

（课文例句：我们总觉得让孩子吃点儿苦有好处。）

第三组：① 等我退休了，就有闲工夫旅游了。

② 我可没有闲工夫听你讲故事。

③ 妈妈总是很忙，一点儿闲工夫也没有。

（课文例句：有一天，我有闲工夫，去体育馆看儿子训练。）

第四组：① 他从操场过，让球给砸蒙了。

② 我一看试卷就蒙了，好几道大题我都没复习过。

③ 到了机场我才发现我的包丢了，里面有机票、护照、银行卡，我一下子就蒙了。

（课文例句：我一下子蒙了：儿子会系鞋带！）

第五组：① 我刚才是假装生气。

② 不懂就问老师，不要假装懂了。

③ 他干什么我都假装看不见。

（课文例句：吃晚饭时我问儿子为什么平时假装不会系鞋带。）

24-3 二、根据课文内容，判断正误

1. 儿子上小学时就会骑自行车。（ √ ）
2. 儿子小的时候，就喜欢味道苦的菜。（ × ）
3. 儿子 10 岁时很残忍。（ × ）
4. 儿子打拳时鞋掉了。（ √ ）
5. 儿子的鞋掉了以后，在场的人都笑了。（ √ ）
6. 实际上，儿子系鞋带系得特别好。（ √ ）
7. 看到儿子系鞋带的动作，我都傻了。（ √ ）
8. 儿子承认是想让我们抱他一下时很不好意思。（ √ ）
9. 我始终不明白儿子为什么假装不会系鞋带。（ × ）

24-3 24-4 三、根据课文内容，选择正确答案（可以多选）

1. 父母对孩子为什么那么严格？（ A ）

A. 多让孩子吃些苦　　B. 让孩子参与竞争　　C. 父母不疼爱孩子

2. 孩子 10 岁时有什么特点？（ C、D ）

A. 从来不操心　　B. 不会系鞋带

C. 生活有条理　　D. 又聪明又懂事

3. 爸爸在体育馆看到了什么？（ B ）

A. 儿子打拳的样子很可笑　　B. 儿子把鞋踢上了半空中

C. 儿子的拳打得很有样子　　D. 儿子表演前忘记了穿鞋

4. 故事结束时父母怎么样了？（ A、C ）

A. 明白了孩子的愿望　　B. 遭到了沉重的打击

C. 为以前的做法后悔　　D. 决定经常抱抱孩子

24-3 四、根据课文内容，给下面的句子排序

3	A	儿子学习不让父母操心，生活有条理。
8	B	儿子赶紧捡起鞋穿上，飞快地系上鞋带，动作十分熟练。
4	C	但是儿子不会系鞋带。
2	D	他去体育馆都是自己骑车，没有人送。
5	E	他总是拿着鞋走过来，靠在你的怀里让你替他系，身子还软软地贴着你。
6	F	一次，我去看儿子练少林拳。
10	G	儿子回答，是想让我们抱他一下。
7	H	儿子一踢腿，鞋子飞上了半空中。
1	I	儿子小学时，参加了武术队。
9	J	我问儿子为什么平时假装不会系鞋带。

五、在合适的搭配之间连线

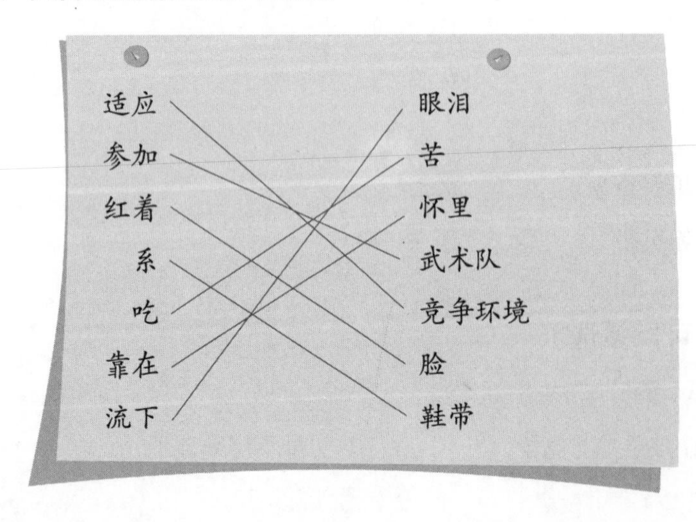

24-5 七、选词填空

心硬　吃苦　闲工夫　蒙　假装　替

1. 我要是有（闲工夫），就去旅游。
2. 不知道就是不知道，别（假装）什么都知道。
3. 我们公司招聘员工，条件是要能（吃苦）。
4. 上班的时候天天忙，退了休才有（闲工夫），我得好好享受一下。
5. 在超市付钱时，我突然发现钱包不见了，当时一下就（蒙）了。
6. 我要去机场接人，上不了课，你能（替）我请假吗？
7. 让孩子学武术，当家长的就得（心硬），你的心一软，他就学不成了。
8. 他不能（吃苦），结果什么也没学会。

要求

① 请先独立填写答案
② 填好后同学之间可以讨论
③ 最后听录音

25 心态和行为

畅所欲言

1. 按“胆大→胆小”的规则把下列词语填到合适的位置。

危险　　失败　　宽　　深　　快

胆大	胆小
成功	失败
浅	深
窄	宽
安全	危险
慢	快

2. 快速回答问题：A对B有什么影响？

吸烟对健康有什么影响？
不吃早饭对身体有什么影响？
玩儿游戏对学习有什么影响？
网络对生活有什么影响？
心态对行为有什么影响？

课　文

心态和行为

一位心理学家想知道人的心态对行为到底会产生什么样的影响，于是他做了一个实验。

首先，他让十个人穿过一间黑暗的房子，在他的引导下，这十个人都成功地穿了过去。

然后，心理学家打开房子里的一盏灯。在昏黄的灯光下，这些人看清了房子里的样子，都吓出一身冷汗。这间房子的地面是一个大水池，水池里有十几条大鳄鱼，水池上面有一座窄窄的小木桥，刚才他们就是从小木桥上走过去的。

心理学家问：“现在，还有谁愿意再次穿过这间房子呢？”没有人回答。过了很久，有三个胆大的站了出来。其中一个小心翼翼地走了过去，速度比第一次慢了许多；另一个颤巍巍地走上小木桥，走到一半时，竟趴在小桥上爬了过去；第三个刚走几步就一下子趴下了，再也不敢向前移动半步。

之后，心理学家又打开房子里的另外九盏灯，灯光把房子照得像白天一样。这时，人们看见小木桥下有一张安全网，由于网的颜色太浅，他们刚才根本没有看见。“现在，谁愿意通过这座小桥呢？”心理学家问道。这次又有五个人站了出来。“你们为什么不愿意呢？”心理学家问剩下的两个人。“这张安全网结实吗？”这两个人一起问道。

（选自蒋骁飞同名文章）

练　习

25-2 一、请仔细听录音，找出每组句子有什么共同的地方

第一组：① 到底哪个对哪个错，实在很难判断。
② 你到底去不去？
③ 这到底是怎么回事？
（课文例句：一位心理学家想知道人的心态对行为到底会产生什么样的影响。）

第二组：① 他开车穿过市中心，来到一家商店。
② 在警察的帮助下，小学生们顺利穿过了马路，到达学校。
③ 我们一起穿过了市场，找到了老人。
（课文例句：他让十个人穿过一间黑暗的房子。）

第三组：① 他跑了两公里，出了一身汗。
② 听到这个消息，他吓出了冷汗。
③ 面试的时候，他紧张得出了一身汗。
（课文例句：在昏黄的灯光下，这些人看清了房子里的样子，都吓出一身冷汗。）

第四组：① 他胆大心细，这件事就交给他吧。
② 胆大的人敢一个人去，胆小的不敢。
③ 他从小就胆大，什么都不怕。
（课文例句：过了很久，有三个胆大的站了出来。）

第五组：① 请放心，这样的情况再也不会发生了。
② 我再也不相信他的话了。
③ 他再也不想去那个饭馆了。
（课文例句：第三个刚走几步就一下子趴下了，再也不敢向前移动半步。）

第六组：① 他从小长得结实，力气也比一般人要大得多。
② 这座桥已经有几百年历史了，非常结实。
③ 这个袋子不结实，再拿一个新的吧。
（课文例句：这张安全网结实吗？）

25-3 三、根据课文内容，判断正误

1. 人的心态对行为会有影响。 (√)
2. 房子里很暗，所有的人都没有穿过去。 (×)
3. 房子里一共有十盏灯。 (√)
4. 十个人开始穿过房子时，都不知道脚底下有鳄鱼。 (√)
5. 打开一盏灯后，三个勇敢的人穿过了房间。 (×)
6. 打开所有的灯后，人们都吓出了一身冷汗。 (×)
7. 看见有安全网，人们都放心地走过去了。 (×)
8. 两个愿意走过去的人问“这网结实吗？” (×)
9. 鳄鱼被装在安全网里。 (×)
10. 实际上，每个人都可以安全地穿过房间。 (√)

25-3 25-4 四、根据课文内容，选择正确答案

1. 十个穿过房子的人都是怎么走过去的？（ C ）
   A. 大胆地走过去的　B. 小心地走过去的
   C. 在引导下走过去的　D. 爬过去的

2. 为什么开始十个人都成功地走过去了？（ C ）
   A. 屋子很亮　B. 看见了安全网
   C. 不知道脚下有什么　D. 他们是胆大的人

3. 打开一盏灯，他们看见了什么？（ A ）
   A. 鳄鱼　B. 安全网
   C. 房子里所有的东西　D. 什么也没有看见

4. 打开一盏灯后，穿过房间的有几个人？（ D ）
   A. 十个人　B. 三个人
   C. 五个人　D. 两个人

5. 最后为什么还有两个人不愿意穿过房间？（ B ）
   A. 他们没有看见安全网　B. 担心安全网不结实
   C. 觉得房间不够亮　D. 担心小木桥不结实

25-3 五、根据课文内容填表

	几个人过去了	开灯的情况
第一次	十个	没开灯
第二次	两个	打开一盏灯
第三次	五个	打开所有的灯

25-5 六、边听录音边填空

1. 这些人看清了房子里的样子，都吓出（一身冷汗）。
2. 其中一个（小心翼翼）地走了过去，速度比第一次慢了许多；另一个颤巍巍地走上小木桥，走到一半时，竟趴在小桥上（爬）了过去；第三个刚走几步就一下子（趴）下了，再也不敢向前移动半步。
3. 心理学家又打开房子里的（另外）九盏灯，灯光把房子照得（像）白天一样。

七、在合适的搭配之间连线

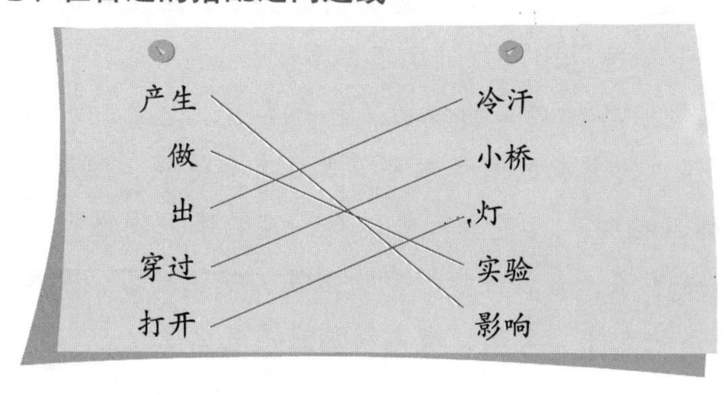

25-6 九、选词填空

到底　穿过　出汗　胆小　再也不　结实

1. 电影和电视剧（到底）有什么不同？
2.（穿过）那条街，就到银行了。
3. 他（出）了一身（汗），把衣服都弄湿了。
4. 你一定要抓住机会，（再也不）要错过了。
5. 他每天锻炼，身体非常（结实）。
6. 他是个（胆小）的男生，见到喜欢的姑娘也不敢追求。
7. 人们都有了手机，（再也不）用排队打公用电话了。
8. 这个箱子不（结实），只用了一次就坏了。

要求
① 请先独立填写答案
② 填好后同学之间可以讨论
③ 最后听录音

26 狗的昨天和今天

课　文

狗的昨天和今天

我一直不喜欢狗，对狗的第一次记忆是在农村，那狗是黑色的，有一米多高，样子很厉害。那时农村养狗的人家很多，大部分是为了看家。一次，我刚靠近亲戚家的大门，那狗就拦住大门，做出一副要咬我的样子。那时的我还很小，被狗凶恶的样子吓坏了，转身就跑，张嘴就哭，后来主人出来喊了几句，那狗就变得乖乖的了。后来，我懂得了"狗仗人势"这个成语，觉得狗确实是这样的。所以，我一直不喜欢狗，见到它们，就躲得远远的。

可是最近这几年，我发现农村的狗是越来越少了，城里的狗却越来越多了。不同的是城市里的狗们没有了以前的威风，既不高大，也不凶恶，都是一脸讨好的神情，在主人的脚下滚来滚去。今天的狗们厉害不起来了，日子却过得比以前好了不知多少倍。

在超市里，各种为狗准备的服装、鞋帽、各种口味的食物，应有尽有。总之，人有什么，狗就有什么，甚至人还没有的狗也有了。看着狗的消费水平，我真有些羡慕。但是我总觉得现在的狗还不如当初把我吓哭了的那只狗呢。可是有人告诉我，宠物事业发展也有好处，因为狗的日子过好了，狗身上的商机就多了，宠物买卖、宠物医院、宠物美容、宠物照相馆，甚至有专门的地方培养和宠物有关系的人才。天啊，我们人到底是怎么了？

练　习

26-2 一、请仔细听录音，找出每组句子有什么共同的地方

第一组：① 我去卫生间，你帮我看着点儿包。

② 年轻人上班，父母帮他们看孩子。

③ 农村的狗都是看家的。

（课文例句：那时农村养狗的人家很多，大部分是为了看家。）

第二组：① 看来看去都是广告，没什么好节目。

② 他想来想去，决定去北京打工。

③ 吃来吃去就这几种菜，今天我们换个地方吃饭吧。

（课文例句：城市里的狗们没有了以前的威风，既不高大，也不凶恶，都是一脸讨好的神情，在主人的脚下滚来滚去。）

第三组：① 现在的生活比过去好了不知多少倍。

② 他参加了不知多少次面试，但一直也没找到工作。

③ 我说了不知多少遍了，你怎么还记不住？

（课文例句：今天的狗们厉害不起来了，日子却过得比以前好了不知多少倍。）

第四组：① 你喜欢什么口味的冰激凌？

② 这个菜不合我的口味。

③ 我们饭店什么口味的菜都能做。

（课文例句：在超市里，各种为狗准备的服装、鞋帽、各种口味的食物，应有尽有。）

第五组：① 这个学校培养了很多人才。

② 在你们国家，培养一个大学生要花多少钱？

③ 他从小唱歌唱得不错，因此父母在音乐方面重点培养他。

（课文例句：狗的日子过好了，狗身上的商机就多了，宠物买卖、宠物医院、宠物美容、宠物照相馆，甚至有专门的地方培养和宠物有关系的人才。）

26-3 二、听全文，选择课文提到了哪些内容，在括号里画 √

1. 养狗的好处。 （ ）
2. 养狗的麻烦。 （ ）
3. 过去农村的狗。 （ √ ）
4. 现在农村的狗。 （ ）
5. 过去城市的狗。 （ ）
6. 现在城市的狗。 （ √ ）
7. 狗的生活变化。 （ √ ）

26-3 三、根据课文内容选择

A 农村狗的特点　B 城市狗的特点

1. 看家	A	5. 温和	B
2. 讨好主人	B	6. 生活好	B
3. 高大、凶恶	A	7. 病了可以上医院	B
4. 威风	A	8. 有衣服穿	B

26-3 四、根据课文内容，判断正误

1. 小时候，“我”的家在农村。 (×)
2. “我”被亲戚的狗咬过，所以害怕狗。 (×)
3. 城里的狗不如农村的狗厉害。 (√)
4. 现在农村的狗比城里的狗多。 (×)
5. 狗厉害不起来了，人的日子就好过了。 (×)
6. 在城里，有狗可以买东西的超市。 (×)
7. 狗的消费水平比人还高。 (×)
8. 现在有专门培养和宠物有关系的人才的地方。 (√)

26-3 26-4 五、根据课文内容，选择正确答案

1. 以前农村养狗主要干什么？(B)
   A. 做宠物　B. 看家　C. 创造商机　D. 咬人

2. “狗仗人势”是什么意思？(D)
   A. 狗听主人的话　B. 狗看到主人就很乖
   C. 狗看到外人就咬　D. 狗借着主人的威风厉害

3. 作者为什么与狗从不亲近？(C)
   A. 讨厌狗的狗仗人势　B. 嫉妒狗乖
   C. 从小就怕狗　D. 狗的生活水平太高了

4. 作者认为如今城市的狗是什么样的？(C)
   A. 越来越威风　B. 越来越厉害
   C. 日子越来越好　D. 又高大，又凶猛

5. 作者认为超市里狗的用品有什么特点？(A)
   A. 应该有的全有了　B. 不够丰富
   C. 设计得非常好　D. 价格贵

6. 比较起来，作者更喜欢什么样的狗？(A)
   A. 认真看家的狗　B. 讨好人的狗
   C. 不凶恶的狗　D. 咬人的狗

26-5 六、边听录音边填空，然后回答问题

1. 那时的我还很小，被狗凶恶的样子吓坏了，（转身）就跑，（张嘴）就哭。

   问：你填的是什么词？请你做出这两个动作。

2. 后来主人出来喊了几句，那狗就变得（乖乖）的了。

   问：主人可能喊了什么？狗有什么变化？

3. 可是最近这几年，我发现（农村）的狗是越来越少了，（城里）的狗却越来越多了。

   问：这是什么变化？说明了什么？

4. 人有什么，狗就有什么，（甚至）人还没有的狗也有了。

   问：你觉得什么东西人可以有，而狗不应该有？请举个例子。作者对狗有这么多东西是什么态度？

5. 天啊，我们人（到底）是怎么了？

   问：这是一个什么问题？你能回答这个问题吗？

26-6 八、选词填空

看	口味	V来V去	培养	不知多少	直到

1. 他以前从来没离开过家，（直到）去外地上学。
2. 看着小鱼在水里（游来游去），真羡慕啊。
3. 父母把孩子（培养）成人才，自己也老了。
4. 这个故事我已经听了（不知多少）遍了。
5. 小狗一出门，就在院子里（跑来跑去）。
6. 他在一个公司（看）大门。
7. 他换了（不知多少）个工作，就是没有满意的。
8. 年轻的父母都要上班，只好请爷爷奶奶帮他们（看）孩子。
9. 你喜欢什么（口味）的菜？

要求

① 请先独立填写答案
② 填好后同学之间可以讨论
③ 最后听录音

27 一则钟表修理广告

课　文

一则钟表修理广告

二战期间，在伦敦火车站附近的一家钟表店门前，挂着这样一则广告——尊敬的士兵们：现在是战争时期，如果您的钟表坏了，可以随时到本店修理。本店不记姓名、地址，修理费等您从战场上回来后再还……这个广告对在伦敦的英国、法国士兵们来说，简直就是天上掉馅儿饼的好事。

消息传开了。很快，等待修表的士兵们就在钟表店门前排起了长龙。看到这么热闹的情景，同行们又吃惊又有些高兴，因为事情很明显，那家钟表店肯定会因为"免费"修理而倒闭的。

时间一天天过去了。在同行们的关注和嘲笑中，那家钟表店仍然认真地对待每一位顾客，并没有像他们想的那样因为"免费"修理而倒闭。

渐渐地，人们发现，不但士兵们感激这家钟表店的做法，就连他们的家人、朋友听到这个消息后，不论远的还是近的，也都跑到这里来买手表，送给士兵。于是，在士兵中间，能有一块这个表店卖出的手表，立刻成了一种时尚。

这么一来，那家钟表店卖表的收入远远超过了修表需要的费用。一则看上去赔钱的广告，却让那家钟表店既赚了钱，又得到了好名声。

（选自高兴同名文章）

练　习

27-2 一、请仔细听录音，找出每组句子有什么共同的地方

第一组：① 如果有问题，可以随时问我。

② 冬天到了，应该随时注意增减衣服，防止感冒。

③ 下雪路滑，随时可能发生事故。

（课文例句：如果您的钟表坏了，可以随时到本店修理。）

第二组：① 天下没有免费的午餐。

② 在中国，1 米 2 以下的小孩可以免费坐车，身高超过了就要买票。

③ 现在的电子邮件大部分是免费的。

（课文例句：事情很明显，那家钟表店肯定会因为“免费”修理而倒闭的。）

第三组：① 售货员对待顾客应该更热情一点儿。

② 对待学习和工作，他都是非常认真的。

③ 他对待每个人都是一样的，非常公平。

（课文例句：那家钟表店仍然认真地对待每一位顾客。）

第四组：① 汉语不像我想的那样难。

② 这个问题不像我想的那么容易。

③ 结婚以后的生活不像她想的那么好。

（课文例句：在同行们的关注和嘲笑中，那家钟表店仍然认真地对待每一位顾客，并没有像他们想的那样因为“免费”修理而倒闭。）

第五组：① 这个工作看上去很好，其实非常辛苦。

② 你看上去很累，没事吧？

③ 这辆车看上去真漂亮，不知道开起来好不好。

（课文例句：一则看上去赔钱的广告，却让那家钟表店既赚了钱，又得到了好名声。）

27-3 三、根据课文内容，判断正误

1. 在这家钟表店修表的士兵永远不用付钱。 （ × ）
2. 在这家钟表店修表的士兵可以得到免费的手表。 （ × ）
3. 到这家钟表店修表的士兵非常多。 （ √ ）
4. 其他钟表店羡慕这家钟表店的做法。 （ × ）
5. 其他钟表店都以为这家钟表店会倒闭。 （ √ ）
6. 士兵的家属和朋友也能在这家钟表店免费修表。 （ × ）
7. 这家钟表店卖表的收入超过了修表的费用。 （ √ ）
8. 能在这家钟表店修表成为一种时尚。 （ × ）

27-3 27-4 四、根据课文内容，判断下列答案中有无正确的，如果有，是哪些

1. 关于这家钟表店的广告，下面哪几句是对的？（ D、F ）

A. 战争期间，钟表店只对士兵开放

B. 在这里修表的士兵，可以得到免费的馅儿饼

C. 在这里修表的士兵，可以用较低的价格买一块手表

D. 在这里修表的士兵，可以先不付修理费

E. 在这里修表的士兵，可以用假名字和假地址

F. 在这里修表的士兵，可以不留下名字和地址

2. 其他钟表店看到这家钟表店的做法，有什么反应？（ B、C ）

A. 生气　B. 吃惊　C. 高兴

D. 羡慕　E. 担心　F. 学习这种做法

3. 其他钟表店对这家钟表店的做法怎么看？（ A ）

A. 相信他们这样做会倒闭　B. 相信他们会赚钱

C. 羡慕他们的做法　D. 相信他们会得到好名声

4. 什么成了一种时尚？（ E ）

A. 士兵到这家钟表店修表　B. 士兵到这家钟表店买表

C. 士兵的亲朋好友到这家钟表店修表　D. 士兵的亲朋好友到这家钟表店买表

E. 士兵戴这家钟表店卖的手表　F. 全城的人戴这家钟表店卖的手表

5. 士兵的亲朋好友到这家钟表店做什么？（ A ）

A. 买表送给士兵　B. 修表

C. 对钟表店表示感谢　D. 给自己买表

6. 关于这家钟表店，下面哪几句是对的？（ B、C、D ）

A. 赔钱了　B. 赚钱了　C. 赢得了名声

D. 顾客很多　E. 倒闭了　F. 卖的表比修的表多

27-3 五、根据课文内容填表（有多余的选项）

A. 买钟表　B. 修钟表　C. 免费修钟表　D. 免费送钟表

E. 吃惊　F. 高兴　G. 赚了钱　H. 赔了钱

I. 得到了好名声　J. 得到了坏名声　K. 得到馅儿饼

这家钟表店	B　C　G　I
其他钟表店	B　E　F
士兵	C
士兵的家人、朋友	A

27-5 六、边听录音边填空，然后回答问题

1. 尊敬的士兵们：现在是战争时期，如果您的钟表坏了，可以（随时）到本店修理。本店不（记）姓名、地址，修理费（等）您从战场上回来后再（还）……

   问：这个钟表店知道不知道哪个士兵修理了钟表？士兵要还修理费吗？什么时候还？

2. 这个广告（对）在伦敦的英国、法国士兵们（来说），（简直）就是天上掉馅儿饼的好事。

   问：在这里，"天上掉馅儿饼"指的是什么？

3. 很快，等待修表的士兵们就在钟表店门前排起了（长龙）。

   问：你填的词怎么发音？它们是什么意思？

4. 看到这么热闹的情景，同行们又（吃惊）又有些（高兴），因为事情很（明显），那家钟表店肯定会因为"（免费）"修理而倒闭的。

   问：同行们为什么吃惊？为什么高兴？

5. （不但）士兵们感激这家钟表店的做法，（就连）他们的家人、朋友听到这个消息后，（不论）远的（还是）近的，也（都）跑到这里来买手表，送给士兵。

   问：除了士兵，还有谁来这个钟表店？他们来干什么？

6. （这么一来），那家钟表店卖表的收入远远超过了修表需要的费用。一则（看上去）赔钱的广告，却让那家钟表店既赚了钱，又得到了好名声。

   问：这个钟表店为什么没有因为免费修理而倒闭？钟表店这么做给他们带来了什么？

七、在合适的搭配之间连线

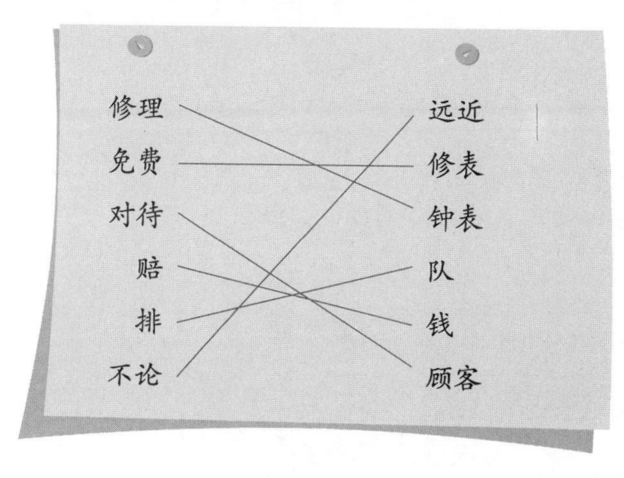

27-6 八、选词填空

随时　免费　对待　不像……想的那样……　看上去　天上掉馅儿饼

1. 教师（对待）学生，医生（对待）病人，都应该是热心和有耐心的。
2. 经常锻炼身体的人（看上去）更年轻。
3. 这个招聘会不是（免费）的，是收费的。
4. 他的收入（不像）别人（想的那样）高。
5. 父母应该用平等的态度（对待）自己的孩子。
6. 外出带上手机，可以（随时）和亲人朋友联系。
7. 北京的许多公园都是（免费）的。
8. 我可不相信（天上掉馅儿饼）的好事，我担心上当。
9. 这儿的东西（不像）我（想的那样）便宜。

要求
① 请先独立填写答案
② 填好后同学之间可以讨论
③ 最后听录音

如果我开一家店……

课　文

如果我开一家店……

①如果有一条商业街，两头的和中间的，哪里的位置更好？你想过吗？

许多人可能都会说：当然是路口第一家生意最好。

如果你这样选择，那就错了。因为顾客走进一条商业街时，一般不甘心在第一家商店就成交，他怕自己上当，总得走走看看，货比三家。走得差不多了，看也看过了，比也比过了，就会找一家最合适的商店成交，通常不是第一家也不是最后一家。如果这条街是一眼能看到头的，许多人也不会特意选中间的那家，而是两头三分之一处的机会最大。当然了，如果是蔬菜店和水果店，价格几乎一样，情况就不同了，那就是，越方便顾客的商店，生意越好做。

②开商店吸引顾客的方法有很多，用的最多的就是打折。

有一家服装店创造的打折方法比“清仓大甩卖”要成功得多。他们首先定出打折的时间，比如一共十五天，第一天打九折，第二天打八折，第三天、第四天打七折，第五天、第六天打六折，第七天、第八天打五折，第九天、第十天打四折，第十一天、第十二天打三折，第十三天、第十四天打两折，最后一天打一折。顾客只要在打折的这十五天里的任何一天去购物，都能享受到相应的优惠。结果呢，第一天、第二天来的顾客并不是很多，第三天客人就开始一群一群地来到商店，第五天打六折时人们就像潮水一样来商店抢购，以后的日子客人总是爆满，真到了第十五天打一折的时候，很快就把全部商品都卖光了。

这种打折方法抓住了顾客的购物心理。任何人都希望在打两折、打一折的时候买他们所需要的东西，然而你所需要的东西不一定都会留到最后一天。所以等到打七折的时候人们开始着急起来，怕自己要买的东西被别人先买去，于是就坐不住了，赶快把它买下来。

练　习

28-2 一、请仔细听录音，找出每组句子有什么共同的地方

第一组：① 工作和学习都不能怕苦。
② 他怕别人找不到他，特意买了手机。
③ 他怕迟到，就打车去公司了。
（课文例句：顾客走进一条商业街时，一般不甘心在第一家商店就成交，他怕自己上当，总得走走看看，货比三家。）

第二组：① 我上过他的当，再也不相信他了。
② 他不买太便宜的东西，怕上当。
③ 在网上买东西容易上当。
（课文例句：顾客走进一条商业街时，一般不甘心在第一家商店就成交，他怕自己上当，总得走走看看，货比三家。）

第三组：① 为了让他能听懂，老师特意说得慢一点儿。
② 我特意从外地回来参加他的生日晚会。
③ 他特意给父亲买了适合老人用的手机。
（课文例句：如果这条街是一眼能看到头的，多数人也不会特意选中间的那家，而是两头三分之一处的机会最大。）

第四组：① 过年了，很多商场都在打折，比平时便宜多了。
② 这件衣服打完折以后，只卖 230 块。
③ 原价 1000 块，打八折，便宜了 200 块。
（课文例句：有一家服装店创造的打折方法比“清仓大甩卖”要成功得多。）

第五组：① 使用信用卡可以享受买东西的方便和优惠。
② 他享受着打篮球的快乐。
③ 喝着咖啡听音乐，是一种享受。
（课文例句：顾客只要在打折的这十五天里的任何一天去购物，都能享受到相应的优惠。）

28-3 二、听全文，选择课文提到了哪些内容，在括号里画 √（可以多选）

1. 去哪儿买东西最好。（　）
2. 在商业街的什么位置开店最好。（ √ ）
3. 怎么买到打折的东西。（　）
4. 介绍一种打折的方法。（ √ ）

28-3-1 三、根据课文第一段内容，判断正误

1. 顾客走进一条商业街时，通常不会在第一家或者最后一家店成交。 （ √ ）
2. 顾客走进一条商业街时，一般会在第三家店成交。 （ × ）
3. 蔬菜店和水果店，价格相差不多。 （ √ ）
4. 同一条街上的商店，价格都差不多。 （ × ）

28-3-1 28-4 四、根据课文第一段内容，选择正确答案

1. 在商业街开一家店，哪里的位置最好？（ D ）

   A. 第一家店　　B. 最后一家店
   C. 中间一家店　　D. 两头三分之一处的店

2. 什么样的蔬菜店、水果店生意最好？（ A ）

   A. 最方便顾客的店　　B. 打折的店
   C. 在商业街两头三分之一处的店　　D. 商业街中间的店

28-3-2 五、根据课文第二段内容，判断正误

1. 这家服装店的打折方法比“清仓大甩卖”成功得多。 （ √ ）
2. 这家服装店在打折的最后一天，商品的价格是一折。 （ √ ）
3. 如果要买到最想买的商品，应该在打折的最后一天去。 （ × ）
4. 所有人都希望在商品打两折、一折时买到他们想要的东西。 （ √ ）
5. 刚开始打折时，去商店的人并不太多。 （ √ ）
6. 打一折的时候，去商店的人最多。 （ × ）
7. 商店的大部分商品都是在打一折时卖出去的。 （ × ）
8. 在打折期间的任何一天去商店都能买到比原来的价格便宜的东西。 （ √ ）
9. 商店用这种方法打折，赚的钱会比较少。 （ × ）
10. 顾客在打折的最后一天去，有可能买不到自己需要的东西。 （ √ ）

28-3-2 六、根据课文第二段内容填表

一折　两折　三折　四折　五折　六折　七折　八折

A. 像潮水一样　B. 一群一群地来商店　C. 爆满　D. 顾客不多

第1天	第2天	第3~4天	第5~6天	第7~8天	第9~10天	第11~12天	第13~14天	第15天
九折	八折	七折	六折	五折	四折	三折	两折	一折
D		B	A	C				

八、在词语和它们的意思之间连线，然后填空并回答问题

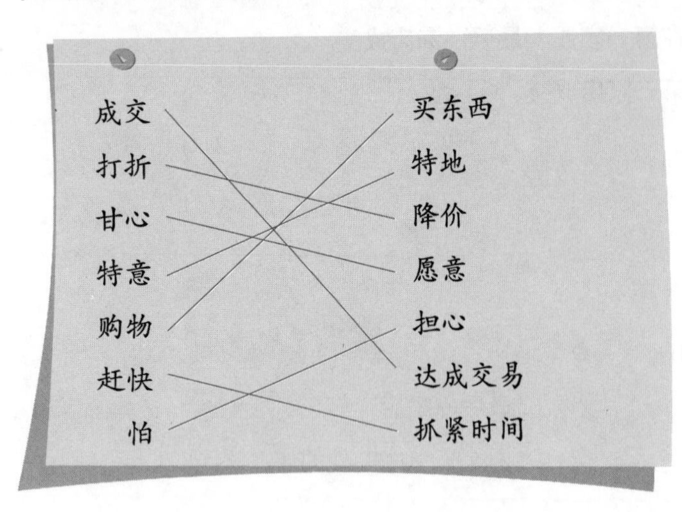

1. 顾客走进一条商业街时，一般不（甘心）在第一家商店就（成交）。
   问：为什么顾客不在第一家商店买东西？

2. 如果这条街是一眼能看到头的，多数人也不会（特意）选中间的那家。
   问：多数人为什么不选中间那家？

3. 顾客只要在（打折）的这十五天里的任何一天去（购物），都能享受到相应的优惠。
   问：是不是每天都有一样的优惠？

4. 人们（怕）自己要买的东西被别人先买去，于是就坐不住了，（赶快）把它买下来。
   问："坐不住"是什么意思？

28-5 九、选词填空

怕　　上当　　特意　　打折　　享受　　货比三家

要求
① 请先独立填写答案
② 填好后同学之间可以讨论
③ 最后听录音

1. 别（怕）失败，失败是成功之母。
2. 周末，他们一起逛商店，（享受）购物的快乐。
3. 每个商店的价格不一样，所以一定要（货比三家）。
4. 你不用（特意）送过来，什么时候顺便带来就行了。
5. 这个商店的家具正在（打折），快去买吧。
6. 希望每天都能（享受）快乐的生活。
7. 他在网上买飞机票，付钱以后才知道（上当）了。
8.（打折）以前卖 1000，现在只卖 500，多便宜呀！

29 去哪里玩儿

课文

去哪里玩儿

①王敏：小林，你不是打算十一出去旅行吗？是参加旅行团还是自由行？

小林：听说十一火车票、机票都不好买，我想还是参加旅行团比较方便。我的同学给了我几张旅行社的广告，有的地方我看不懂，正想问问你呢。

王敏：我看看，哦，是去内蒙古的，还有去云南的，你都没去过吗？

小林：来中国半年了，我还没离开过北京呢。你看，广告上写的“双卧”是什么意思？

王敏：“卧”就是卧铺，“双卧”就是来回卧铺。

小林：哦，那“双飞”就是来回都坐飞机吧？你看，这个去云南的是双飞，去内蒙古的是双卧。你觉得这个价格贵不贵？

王敏：内蒙古双卧四日游，四天八百七，我觉得还可以。你看，还住蒙古包呢，还能骑马。

小林：我只是在电视上看过蒙古包，就是蒙古族人住的房子吧？

王敏：对，不过骑马是自费项目，每小时五十块。

小林：倒是不贵。你再帮我看看这个去云南的。双飞七天，时间有点儿长。

王敏：这个要去三个地方呢，大理、昆明、丽江，每个地方都得玩儿个两三天，所以一共七天，到时候你肯定觉得时间过得特别快。

②小林：“豪华团”是什么意思？

王敏：就是住得、吃得都比一般的要好。你看，这个豪华团住的都是四星级宾馆，普通团很可能住三星的或者两星的。

小林：住得怎么样倒是无所谓，只要干净就好，这两个团差五百块钱呢。

王敏：那就别参加豪华团了，普通团只要三千五。

小林：这个“团餐”是什么？跟吃的有关系吧？

王敏：对呀，“团”就是旅行团，“餐”不就是“饭”嘛。你看这儿写着“八菜一汤的团餐”，就是说午饭和晚饭都是八个菜一个汤。

小林：哇，好丰富啊！我在学校食堂，每顿饭就吃一个菜。

王敏：团餐不一定比学校食堂的好吃，你想啊，旅行社得控制成本啊。要是八个菜都做得跟饭店似的那么好吃，得花多少钱啊！

小林：哎，如果有五六个人一起报名，能不能打折呀？我的几个同学也想去旅行，我可以让他们跟我一起去云南。

王敏：广告上没说，不过你可以问问，这儿有一个电话，65157878。

小林：好，我这就打电话问问。

练　习

29-2 一、请仔细听录音，找出每组句子有什么共同的地方

第一组：① 你不是说回国吗？怎么还没走？

② 你不是在这儿待过两年吗？应该对这儿很熟悉呀。

③ 这个公园不是免费的吗？怎么又收费了？

（课文例句：你不是打算十一出去旅行吗？）

第二组：① 我还是租房住吧，这样便宜一点儿。

② 你还是买一辆自行车吧，又能锻炼身体，又方便。

③ 我还是回去吧，现在还能坐上公共汽车。

（课文例句：听说十一火车票、机票都不好买，我想还是参加旅行团比较方便。）

第三组：① 这次旅行有很多自费项目，你参加吗？

② 你是自费生还是公费生？

③ 他利用假期，自费来中国旅行。

（课文例句：骑马是自费项目，每小时五十块。）

第四组：① 吃什么我无所谓，能吃饱就行了。

② 你愿意去，我很高兴，不愿意去，我也无所谓。

③ 学校大小无所谓，关键是能学到东西。

（课文例句：住得怎么样倒是无所谓，只要干净就好。）

第五组：① 他们俩长得可像了，跟兄弟似的。

② 这是真的吗？跟做梦似的。

③ 在那儿买东西，跟自由市场似的，也能讨价还价。

（课文例句：要是八个菜都做得跟饭店似的那么好吃，得花多少钱啊！）

29-3-1 三、听课文第一段，把广告内容补充完整

内蒙古

- 双卧，(四) 日游
- 价格：(870) 元
- 住：蒙古包
- (自费) 项目：骑马，(50) 元/小时

29-3-1 四、根据课文第一段内容，判断正误

1. 住蒙古包是自费项目。 (×)
2. 小林觉得骑马的价格不算贵。 (√)
3. 去云南的旅行来回都坐飞机。 (√)
4. 去云南的旅行一共是七天。 (√)
5. 除了云南以外，还去昆明和大理。 (×)

29-3-2 29-4 六、根据课文第二段内容，选择正确答案

1. "豪华团" 和 "普通团" 的区别不包括什么？ (D)

A. 吃的怎么样　　B. 住什么宾馆
C. 价格是多少　　D. 人数多少

2. "豪华团" 多少钱？ (C)

A. 500 元　　B. 3500 元
C. 4000 元　　D. 没说

3. 关于 "团餐"，下面哪个特点说得对？ (B)

A. 每顿八菜一汤　　B. 随旅行团吃饭
C. 比饭馆的好吃　　D. 价格一定合理

4. 参加旅行团可以打折吗？ (D)

A. 五个人以上打折　　B. 不能打折
C. 可以便宜 50 块　　D. 广告上没说

5. 小林准备打电话问什么？（ A ）

A. 能不能打折　　B. 同学去不去

C. 多少人去才打折　　D. 到底去哪儿

七、在词语和它们的意思之间连线

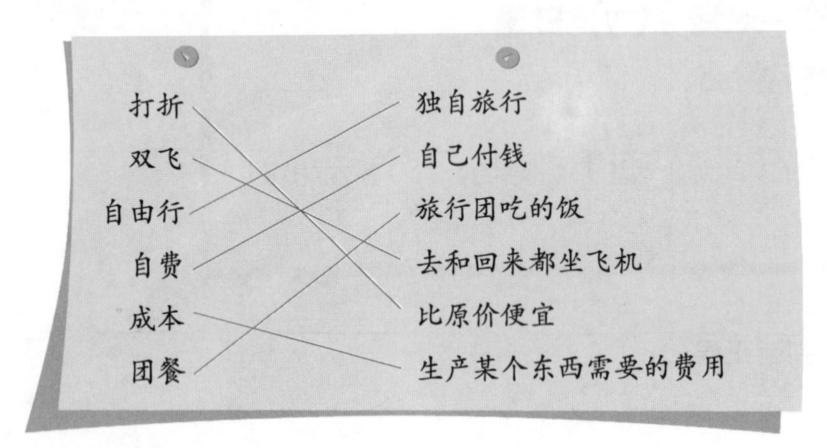

29-5 八、选词填空

不是……吗　　还是　　无所谓　　自费　　跟……似的

1. 这个电影你（不是）已经看过两遍了（吗）？还没看够？
2. 只要有工作就行，钱多钱少（无所谓）。
3. 他急得（跟）热锅上的蚂蚁（似的）。
4. 你（还是）自己去问吧，我怕我问不清楚。
5. 他走路不稳，（跟）喝了酒（似的）。
6. 现在（自费）出国留学的人越来越多。
7. 他的生活天天（跟）过年（似的）。
8. 你（不是）去年才买的手机（吗）？怎么又换了一个？
9. 你（还是）多去几家商店看看吧，说不定有优惠。
10. 大家都在抢购这种电脑，（跟）不要钱（似的）。

要求

① 请先独立填写答案
② 填好后同学之间可以讨论
③ 最后听录音

30 拐 杖

畅所欲言

1. 根据例子，给下面的词语分类。

急躁　温柔　端茶送水　痛苦　固执　平和　吵架　吃惊

搀扶　受伤　耐心　好转　严重　害怕　散步　烦恼　摔伤

性格：急躁　固执　温柔　耐心

身体情况：受伤　好转　严重

动作：搀扶　吵架　端茶送水　散步　摔伤

心情：痛苦　害怕　烦恼　平和　吃惊

2. 在这篇课文中，父母总是吵架，你觉得可能是什么原因？在括号里画√。

性格（　）　习惯（　）　身体（　）　经济（　）　孩子教育（　）

其他：________

3. 后来父母不再吵架了，你觉得可能是什么原因？在括号里画√。

他们都老了（　）　父亲或者母亲改变了性格（　）　孩子劝父母别吵架（　）

其他：________

4. 课文的题目是“拐杖”，这个题目让你想到了什么？在括号里画√。

老人（　）　生病（　）　受伤（　）　其他：________

课　文

拐　杖

父亲是一个急躁的人，母亲性格又很固执。这样的两个人在一起，总有吵不完的架。这种令人烦恼的情况一直持续到父亲在一起事故中摔伤了腿。

事故并不是很严重，但父亲却有一段时间不能自己走路，必须拄着拐杖走。我看见他变得心情不好，老了许多，脾气也小了一些。母亲也变了，从来没看见她照顾一个人这么细心，每天给父亲端茶送水，陪父亲聊天儿。天气好的时候，还会搀扶着拄拐杖的父亲到外边散步。母亲用她的温柔和耐心一点点缓解了父亲心中的痛苦。

父亲从来没有像现在这么平和，我感到很吃惊。心想，也许因为父亲是整个家的支柱，这是他不能倒下的原因吧。

医生说过，一个月以后父亲就可以离开拐杖了。可是一个多月过去了，父亲的腿伤好像仍不见好转，离开拐杖他就无法走路。母亲着急了，怕是腿伤没好，又厉害了，非要带父亲去医院检查不可。父亲这才说："拄拐杖的这一个多月，我好像又回到了年轻时跟你在一起的日子。真希望每天在你的搀扶下散步，跟你平静地说说话。其实腿伤早好了，只是害怕丢掉拐杖就失去了你的搀扶。"我看见母亲的眼睛红了，我的心也湿润了。原以为吵了几十年的夫妻之间哪里还有什么爱情，它原来就深深地藏在父亲的拐杖里。

第二天，母亲把拐杖收起来，在温暖的阳光中，又和父亲走在了屋外那条小路上。父亲脚步稳健，面带笑容。而母亲的手，正搀扶着父亲的胳膊。

（选自杜红文章）

练　习

30-2 一、请仔细听录音，找出每组句子有什么共同的地方

第一组：① 他们俩在一起有说不完的话。
② 孩子抱怨说，老师每天都留写不完的作业。
③ 他是个大富翁，有一辈子花不完的钱。
（课文例句：这样的两个人在一起，总有吵不完的架。）

第二组：① 他的表现令人失望。
② 令人高兴的是，我终于通过了考试。
③ 他给我的帮助令我感动。
（课文例句：这种令人烦恼的情况一直持续到父亲在一起事故中摔伤了腿。）

第三组：① 汽车超速容易引起交通事故。
② 他在一次事故中受了伤。
③ 警察正在调查这一事故的原因。
（课文例句：事故并不是很严重，但父亲却有一段时间不能自己走路，必须拄着拐杖走。）

第四组：① 这个办法，其实是我的一个朋友告诉我的，不是我自己想出来的。
② 其实，这件事我早就知道了，但一直没告诉你。
③ 他说他懂了，其实还不太懂。
（课文例句：其实腿伤早好了，只是害怕丢掉拐杖就失去了你的搀扶。）

第五组：① 我以为他会生我的气，其实他早把这件事给忘了。

② 来中国以前，我以为中国物价很低，没想到没有那么低。

③ 我以为你不来了呢，你能来真是太好了。

（课文例句：原以为吵了几十年的夫妻之间哪里还有什么爱情，它原来就深深地藏在父亲的拐杖里。）

30-3 三、听全文，选择课文提到了哪些内容，在括号里画 √

1. 父亲为什么会受伤。（ ）
2. 父母以前爱吵架。（ √ ）
3. 父亲受伤后，父母感情的变化。（ √ ）

30-3 四、根据课文内容，判断正误

1. 在父亲受伤以前，父母总是吵架。（ √ ）
2. 父亲摔伤了腿，不能走路了。（ × ）
3. 父亲需要母亲搀扶才能走路。（ √ ）
4. 父亲摔伤以后，母亲耐心地照顾父亲。（ √ ）
5. “我”每天陪父亲聊天儿。（ × ）
6. 父亲怕伤口更厉害了，一定要到医院检查。（ × ）
7. 一个月过去了，父亲丢掉了拐杖。（ × ）
8. 实际上，一个月以后，父亲的腿伤就已经好了。（ √ ）
9. 收好拐杖以后，母亲不再搀着父亲了。（ × ）

30-3 30-4 五、根据课文内容，选择正确答案

1. 是什么化解了父亲心中的痛苦？（ A ）

A. 母亲的耐心照顾　　B. 拄着拐杖能走路了

C. 父亲的腿伤好了　　D. 父亲能自由行动了

2. 看到父亲的平和，“我”有什么感觉？（ B ）

A. 很高兴　　B. 很惊讶

C. 不奇怪　　D. 很烦恼

3. 腿伤早就好了，父亲为什么还不离开拐杖？（ D ）

A. 想多休息一段时间　　B. 担心伤口变坏

C. 心情不好　　D. 怕失去母亲的搀扶

30-5 七、选词填空

V不完　令　造成　其实　以为　吵架　从来

1. 父母总是（吵架），真（令）人担心。
2. 她虽然不用上班，但每天都有（干不完）的家务。
3. 他总有（问不完）的问题。
4. 找不到工作真（令）人烦恼。
5. 几年没见，这里的变化（令）我吃惊。
6. 每天都有（干不完）的工作，真累呀！
7. 这次事故（造成）一人死亡，两人受伤。
8. 鲸鱼虽然叫鱼，（其实）并不是鱼类。
9. 他（从来）没离开过家。
10. 我（以为）今天会下雨，就带了伞，结果没下。

要求
① 请先独立填写答案
② 填好后同学之间可以讨论
③ 最后听录音